“Bonjour ma Grande Grande Chérie !”

"Bonjour ma Grande Grande Chérie !"

Lettres d'Amour aux Filles des Bars de Bangkok et Interviews Révélatrices

Rassemblées par

Dave Walker & Richard S. Ehrlich

Traduit par

Florence Compain et Cyril Payen

Dragon Dance Publications

2001 Second printing.

Published by: Dragon Dance Publications

Distributed by: White Lotus Co. Ltd.
G.P.O. Box 1141
Bangkok 10501
Thailand
Telephone: (66) 0-38239-883-4
Fax: (66) 0-38239-885
E-mail: ande@loxinfo.co.th
Website: http://thailine.com/lotus
Printed in Thailand

ISBN 978-974-8434-47-6 pbk

Front cover photo by Dave Walker

Avant Propos

Dave Walker

L'idée de ce livre m'est venue losqu'un tenancier de bar que je connaissais bien s'est plaint de ne pas pouvoir garder une seule fille de bars, parce que leurs clients les épousaient. Je me souviens avoir pensé: «l'amour ? À Patpong ?» Je n'avais jamais soupçonné que le célèbre quartier chaud de Bangkok puisse être un club pour coeurs solitaires, une agence matrimoniale asiatique.

Peut-on vraiment trouver l'amour à la lumière des néons, dans un monde de rabatteurs, de travestis et de dealers, ou dans les services de soins pour MST ? Parfois, la réponse est positive. Beaucoup d'étrangers trouvent d'une manière ou d'une autre le grand amour dans les bars de Bangkok. Empreintes du romantisme français ou des peurs teutonnes, les lettres d'amour recueillies dans ce livre sont écrites par des hommes qui se sentent seuls dans des pays au climat froid et maussade. Ces hommes ont pour la plupart retrouvé une vie insipide après des vacances passées dans l'exotisme de la Thaïlande. Souvent, ces lettres reflètent des aventures sordides, désespérées, qui se sont déroulées dans des chambres d'hôtel pouilleuses. Mais d'autres lettres sont belles et romantiques.

Ces histoires d'amour marginales offrent un regard particulier sur les relations humaines.

Sur fond de pauvreté, alcoolisme, drogue, problèmes familiaux, grossesses accidentelles, vols, trahisons, bagarres, MST, Sida, arrestations, l'amour naît parfois, réel ou imaginaire, voulu ou non.

Amour: ces cinq lettres apparaissent rarement dans les histoires traitant de l'industrie du sexe en Asie. Les liens qui se créent entre les clients et les filles de bars y tiennent pourtant une place aussi importante que le Sida ou les «sex tours».

Ce livre explore ces relations grâce aux lettres d'amour fournies par les filles de bars et aux entretiens accordés par certaines d'entre elles. L'emprise financière du client étranger sur la fille de bars se mêle à des difficultés sociales et culturelles, que très souvent il ne soupçonnait pas.

Beaucoup de filles sont étonnées par la rapidité avec laquelle les étrangers semblent tomber amoureux d'elles, ainsi que la jalousie ou la possessivité dont ils font preuve alors qu'ils ne les connaissent que depuis peu de temps. Pour la fille de bars, il s'agit souvent seulement d'un travail, son travail. Pour beaucoup d'hommes, il s'agit d'amour.

Il n'est pas difficile de comprendre pourquoi un étranger tombe amoureux d'une fille de bars en Asie. Elles savent se montrer adorables et faciles à vivre. Elles sont belles et chaleureuses. Mais elles sont aussi rusées, impitoyables et manipulatrices. Les histoires de mariages ratés, de touristes ou d'expatriés ayant dilapidé leurs économies sous l'emprise de la fille de leurs rêves et de ses proches ne manquent pas en Asie du Sud-Est.

Ce genre de mariages peut aboutir à un désastre. Beaucoup de filles finissent avec des bons à rien, alcooliques, drogués et pire encore. Les filles de bars sont touchantes dans leur déchéance.

Un étranger qui arrive en Asie, voit s'ouvrir devant lui un monde nouveau, loin de sa routine quotidienne.

Il rencontre de superbes femmes exotiques, disponibles (s'il a de l'argent) et qui le traitent comme un roi. C'est le plaisir ultime. S'il a suffisamment d'argent, n'importe quel homme peut devenir le play-boy du moment.

Certains aiment à penser qu'ils sont différents des autres. Ils se croient investis d'une mission: sauver une pauvre fille de sa vie de débauche. Ce sont précisément ces hommes que les filles préfèrent car ce sont ceux qui envoient généralement le plus d'argent.

Le sujet de discorde le plus fréquent au sein de ces couples vient de l'incapacité ou du refus du client d'envoyer de l'argent à la famille de la fille de bars. Il arrive que ses parents fassent pression sur elle pour obtenir plus d'argent, imaginant que l'étranger est riche. De son côté, l'homme ne comprend pas qu'envoyer de l'argent à la famille une priorité pour la fille. À la différence des prostituées occidentales, les Thaïlandaises prennent en charge leur famille pauvre et non un souteneur. Il arrive malgré tout qu'elles s'occupent également d'un mari ou d'un petit ami thaïlandais, fait toujours inconnu de l'étranger.

Quand certains couples tentent leur chance, la transformation s'opère: le client devient petit ami et la fille peut échapper à Patpong. Ils se marient et s'installent ensemble. En cas de rupture, la fille retournera probablement travailler dans un bar. Aujourd'hui encore, ces filles sans éducation et issues d'un milieu pauvre ont un choix limité. Travailler dans un bar est parfois le meilleur moyen de s'en sortir, du moins financièrement. L'épidémie de Sida et les tentatives du gouvernement thaïlandais de réduire la prostitution ont affecté les bars. Patpong a changé. Les vendeurs de breloques ont investi les lieux. La clientèle des bars se mêle aux touristes que les rabatteurs haranguent dans la rue. Il ne faut pas conclure de cet ouvrage que toutes les Thaïlandaises que les étrangers rencontrent et aiment sont des filles de bars. «Bonjour ma Grande Grande Chérie!» traite exclusivement des relations entre filles de bars et farangs qui émergent des bars du quartier chaud de Bangkok.

L'analyse du docteur Yos Santasombat et sa profonde connaissance de ces relations complètent parfaitement le recueil des lettres et d'entretiens. La conclusion de madame Pisamai Tantrakul résume l'essence de cet ouvrage. Son aide a été précieuse pour le mettre en forme.

Les filles de bars nous ont fournis ces lettres, mais nous ont également accordés leur confiance, nous ont épaulés, avec humour et patience. Je tiens à les en remercier. Sans elles, ce livre n'aurait pas pu se faire.

Je vous remercie tous, vous les hommes dont les lettres apparaissent dans ce recueil, de nous avoir fourni une matière extraordinaire. Que vos vies amoureuses puissent être positives et vos examens sanguins négatifs.

Je remercie du fond du coeur mon associé le photographe Satharn Pairaoh ainsi que ma femme Praiwan, pour sa patience et son soutien dans mes projets bizarres et mes excentricités.

Merci également à «Blu» Gene Wallace et à tous les «expats» du Blu Jeans Country Bar à Patpong pour leurs commentaires.

Je remercie enfin mon co-conspirateur Richard S. Ehrlich et son génial ordinateur Macintosh. Son talent d'interviewer se révèle au fil des pages.

Introduction

Richard S. Ehrlich

Les filles de bars vivent dans ce monde décalé de la nuit où les fantasmes, le désespoir et les hormones des hommes se mêlent à l'argent et à la fête. Il s'agit d'une transaction froide où personne ne souhaite se retourner sur la nuit passée.

Mais dans ce monde où hommes et femmes se rencontrent, dans cette ambiance de carnaval, dans ces rendez-vous de la chair, soi Cowboy ou dans d'autres lieux de débauche, l'amour nait parfois.

Alors qu'elle danse sur une scène minuscule, la fille de bars thaïlandaise découvre une rangée d'hommes qui la regardent comme des jurés à son procès, ou bien, elle voit le visage d'un homme crispé par des années de frustation et de peur. Dans l'ombre, un buveur silencieux espère un baume humain pour son vieux corps. Des filles trop professionnelles aux sourires mercenaires lançent des rayons laser amoureux aussi ardents que faux. D'autres filles, détruites par l'héroïne, la laque ou les amphétamines, fixent férocement la porte du bar, incapables de cacher leur déchéance. Soudain une ombre passe sur le visage de certaines des filles qui se trémoussent en cadence sur «Like a Virgin». D'autres rient allègrement et tâchent d'attirer l'attention de la foule, en dansant comme des clowns en se déshabillant. Et le spectacle continue dans des cabarets plus audacieux.

Les prostituées ont toujours rendu fou d'amour certains hommes. Van Gogh ne s'est-il pas coupé une oreille pour une fille de mauvaise vie ? Mais l'esprit dérangé de Van Gogh ne permet pas d'évaluer jusqu'où peut aller un homme pour combler les désirs d'une femme qui a décidé de combler tous ses rêves.

Le plus vieux métier du monde a inspiré à certains hommes une poésie enflammée, un sentiment de bonheur et de confiance qui n'existent pas toujours dans le rituel de la cour, du mariage et autres engagements.

Malheureusement, la plupart des rapports sexuels payants à Bangkok n'atteignent pas ces sphères. Les hommes sont d'accord pour payer, mais ils demandent souvent trop en ces temps d'épidémie de Sida, et de plus en plus de gens perdent la vie de part et d'autre.

Parmi ces amateurs de bars et ces danseuses, des étrangers et des Thaïlandaises recherchent réellement l'amour, mais ne savent pas comment y parvenir. Beaucoup d'hommes qui se sont amourachés de leur petite amie payante, leur écrivent des lettres d'amour enflammées. Et les filles de Patpong ont sur elles des enveloppes dans lesquelles elles ont mis leur coeur. Cet ouvrage tente de montrer ces histoires d'amour. Dans certains cas, c'est une fille de bars splendide et douce, à l'érotisme étourdissant qui provoquera l'indescriptible jaillissement et qui sera aux yeux de l'homme une petite étincelle d'espoir.

Quand les clients sont retournés dans leur pays lointain, Bangkok devient l'endroit où ils reviennent lorsqu'ils s'endorment.

Les bavardages entre les hommes et les filles de bars peuvent tour à tour se révéler sexistes, obscènes ou humoristiques, parfois profonds voire scientifiques, pathétiques ou répugnants. Ils se limitent souvent au plaisir des sens et à une illusion momentanée.

«Tu veux que j'écrive ton nom avec une bouteille de vin dans la rue, pour te montrer ce que je ressens pour toi ?» souffle un Américain agenouillé devant une femme: «quelqu'un a-t-il déjà fait ça pour toi ? Gaspiller une bouteille de vin pour écrire ton nom dans la rue ?»

Ou la confidence d'un Allemand à l'un de ses copains: «j'ai passé les meilleurs moments de ma vie avec des culs-de-jatte sourds et muets parce qu'ils ne m'emmerdaient pas avec des discussions débiles et qu'il n'était pas question de savoir s'il fallait les épouser !»

La plupart des clients tombent plus dans la luxure que dans un état amoureux. Ils s'offrent une relation physique d'exception, avec de chaleureuses expertes qui sont les plus gracieuses et les plus belles femmes qu'il n'avait jamais rencontrées. Certains leur vouent une véritable passion. C'est de ces hommes dont il s'agit dans ce livre.

La capitale thaïlandaise n'est plus le seul endroit où les hommes tombent amoureux des filles de la nuit. L'Inde comble les coeurs solitaires qui peuvent se rendre dans le quartier de la Cage sur Fauklin Road, à Bombay. Ils feront leur choix dans le lot des pauvres filles battues, vêtues de saris en lambeaux et agglutinées dans la rue comme dans un zoo. New Delhi s'enfonce dans la nuit. Des filles au port majestueux, aux yeux soulignés d'un épais trait noir campent dans des tentes dans les faubourgs de la capitale et se vendent aux conducteurs de pousse-pousse ou aux cireurs de chaussures à côté des fours à briques et des mines de grès.

Au Kenya, une femme noire à la perruque blonde é-merge de temps à autre des «Sunshine Clubs» délabrés pour répondre à un besoin moderne et confus. Sur Time Square, à Manhattan, sexe, drogue et clochardi-sation se conjuguent dans une sorte de version interdite du libéralisme.

A Amsterdam, on essaie d'embellir les choses, en plaçant les prostituées derrière des vitrines. Les gens qui se baladent peuvent ainsi se rincer l'oeil devant ces marchandises coûteuses.

Ce livre se limite à une petite communauté de personnes que sont les filles de bars et leurs petits amis étrangers. Il existe, bien entendu, des gens entretenant des relations amoureuses normales, des étrangers qui vivent avec des Thaïlandaises après avoir suivi le chemin traditionnel de la cour, supervisé par la famille et qui les a menés au mariage.

En Thaïlande, comme dans bien d'autres pays d'Asie orientale, on retrouve dans l'univers des filles de bars, une sorte de syndrome de Madame Butterfly, dans la maladresse avec laquelle l'occident rencontre l'orient. Une fille des tropiques qui s'exprime dans le langage de bambou, beau et ancien, pourra facilement hypnotiser un Occidental naïf se rendant à l'étranger pour la première fois. Ou bien tel autre voyageur chevronné pourra croire qu'avec son niveau de vie plus élevé, il sera capable de secourir une fille de bars d'Asie. Au fil de ces pages, on remarque que les filles ont très bien compris qu'elles pouvaient dicter les rè-gles du jeu. L'homme n'a plus qu'à gémir sur ses rives lointaines, relégué à la fonction de distributeur automatique d'argent. Malgré la confusion, malgré les paroles ou les actes manqués, les relations de ce type engendrent pourtant l'amour. Je souhaite que ce recueil se lise comme un opéra, avec une scène où s'exprimeraient les clients étrangers et les filles de bars thaïlandaises avec leurs propres mots, afin de comprendre comment naît cet amour, et comment il s'efforce de résister aux obstacles réels ou imaginaires.

Le propos de cet ouvrage n'est pas de savoir s'il faut condamner ou non l'industrie du sexe. Il ne s'agit pas non plus d'un traité sur la misère dans laquelle vivent un grand nombre de femmes lorsqu'elles sont forcées de vendre leurs corps. Ce livre évoque seulement les raisons pour lesquelles des étrangers tombent éperdument amoureux des filles de bars à Bangkok. Le grand tourbillon des contradictions inhérentes à ces relations obligera certains des auteurs de ces lettres à couper les liens. D'autres pourtant continueront d'écrire à tort ou à raison que leur amour parviendra à changer le cours de leur vie.

Je voudrais dédier ce livre aux femmes qui nous ont offerts les lettres et ont accepté de parler d'elles. Bonne chance à vous toutes. Vos voix habitent ces pages. Je voudrais aussi remercier le docteur Yos Santasombat pour son prologue éclairé, ainsi que mon collaborateur, Dave Walker, pour ses talents d'enquêteur et son enthousiasme.

Prologue

Le Docteur Yos Santasombat

Le Dr Yos Santasombat est professeur à la faculté de sociologie et d'anthropologie de l'Université de Thammasat à Bangkok. Il est aussi directeur de recherches à l'Institut du développement local du département des sciences médicales de Bangkok et l'auteur de «La communauté et la commercialisation de la sexualité féminine».

Ce qui m'est apparu en lisant le manuscrit de «Bonjour ma Grande Grande Chérie!» et qui vient corroborer ma propre expérience, est qu'il existe deux catégories d'individus bien distinctes: les filles et les farangs (les étrangers).

La prostitution thaïlandaise est très différente de la prostitution occidentale. En Thaïlande, on peut clairement distinguer la prostitution des hôtels et des bordels et celle de Patpong, Soi Cow Boy ou Pattaya. Le livre se concentre sur ce que j'appellerais une prostitution touristique, où l'issue des relations est aléatoire.

La ligne de partage entre la prostitution à Patpong et en Occident se situe précisément au niveau de cette notion d'issue aléatoire. En Occident, la prostitution est perçue comme un métier. On aborde la fille, on décide d'une somme et la passe s'effectue. Dans le cas de Patpong, la transaction est entouré d'un flou artistique.

Les filles abordent rarement la question du prix immédiatement. Elles tentent d'abord d'établir un contact. Les lettres prouvent qu'il ne s'agit pas de rapports ponctuels comme c'est le cas dans la prostitution occidentale. Ici, les filles elle-mêmes semblent prêtes à poursuivre une relation pendant plusieurs jours, plusieurs semaines, voire plusieurs années. Parfois, le farang passe la totalité de ses vacances avec la prostituée et revient la voir. Il arrive qu'elle devienne sa maîtresse ou même sa femme.

Je crois que dans la majorité des cas, les filles démarrent une relation avec des motivations strictement pécuniaires. Mais elles peuvent bien entendu se mettre à ressentir quelque chose, une attraction physique ou un attachement émotionnel.

Cela arrivera d'autant plus facilement qu'elle trouvera la relation agréable. Ce sont ces cas que je trouve les plus intéressants dans la prostitution libre en Thaïlande.

Une fois que la relation se met en place, le comportement de la fille change graduellement. Elle restera avec un homme s'il est capable de l'entretenir. La ligne de partage entre l'amour et l'argent devient alors très floue. L'argent rend difficile la distinction entre l'affection, la tendresse et l'amour. La dépendance matérielle engendre une sorte d'attachement émotionel chez la fille.

Ainsi, une relation qui débute par une transaction financière peut évoluer vers une relation plus complexe. Dans les cas extrêmes, il arrive même qu'il y ait une émotion réelle à l'origine de cet attachement. Elle se détache progressivement de l'emprise matérielle. Et la prostitution devient un mélange ambigu d'argent et d'amour.

En Occident, les notions d'argent et d'amour sont incompatibles. Ce n'est pas la même chose en Asie où l'on peut difficilement les séparer. C'est de là que naît la complexité.

C'est la vision des farangs qui m'intéresse dans ce livre. Leur naïveté, leur stupidité et leur romantisme parfois. Je suis à la fois amusé et compatissant car le farang est très troublé lorsqu'il commence une relation.

Souvent, ils ne sont pas très beaux. Ils ont un certain âge, sont chauves, peu séduisants et très seuls dans leur petite société. En arrivant à Patpong, ils sont d'abord surpris par l'absence de brutalité dans la prostitution, il n'y a pas de transaction comme ils ont l'habitude d'avoir. en Occident, chez eux. Les filles sont tout à eux, elles essaient d'établir une relation et s'offrent physiquement, chose qui peut troubler énormément un homme qui n'en a pas l'habitude. Les filles prétendent également ressentir un intérêt ou une attraction sexuelle, et flattent l'apparence physique du farang.

Dans certains cas, qui sait, le sentiment peut être vrai. Et la question de l'argent ne vient qu'en second plan. Ils discuteront des origines du farang, de son travail, pourquoi il est là, s'il a une famille. La rémunération n'est jamais présentée comme un paiement mais comme un remboursement d'un manque à gagner du bar. C'est ce truc qui provoque la confusion des nouveaux venus.

Le farang perd ses repères, il n'identifie plus les étapes de la transaction. Il ne peut pas appliquer son concept de la prostitution à la situation thaïe. Et il se demande vraiment si la fille est avec lui par amour ou pour l'argent.

Je pense que ces questions perdurent même lorsqu'ils sont rentrés chez eux. Et des annnées après leur retour.

Surtout lorsque la relation dure des jours, des semaines ou des mois.

Quel est le sens de cette relation ? Que signifie-t-elle pour la fille ? Est-elle une bonne ou une mauvaise fille ? Ces questions lui trottent dans la tête en permanence et le perturbent pendant des années. Certains farangs tentent de convertir la fille, de la sauver de l'enfer et lui donner une chance de retrouver sa dignité selon un concept occidental. Il se trouve face à un dilemme. S'il décréte que la fille n'est pas une prostituée et qu'elle reste avec lui parce qu'elle l'aime, il se demandera ce qui peut l'attirer en lui car, dans son pays, il n'a pas de succès avec les femmes, il n'obtient pas de rendez-vous, les femmes le fuient.

Quelle est la différence entre les filles ici et les filles chez lui ? Pourquoi sont elles attirées par lui ? A-t-il des qualités particulières que les filles de son pays n'arrivent pas à percevoir ? Ces questions lui trottent dans la tête. Mais d'autre part, si elle reste par amour, pourquoi demande-t-elle de l'argent en permanence ? C'est pourquoi il est confronté à un dilemme. La ligne entre l'engagement émotionnel et l'engagement matériel est trouble.

Mais alors, si elle reste pour l'argent, il se demande comment elle peut faire semblant d'être heureuse et de tenir à lui. Certains farangs essaient de la tester en refusant de lui donner l'argent qu'elle réclame pour voir si elle reste, mais en fait la fille contre-attaque et lui reproche de ne plus l'aimer car il refuse de lui apporter aide et soutien. En fait, il ne peut pas la tester, il ne peut jamais apporter un réponse à ses interrogations.

Les farangs qui ont un profond attachement à l'égard de ces filles après une relation prolongée, s'inquiètent pour leur sort, comme le prouvent les lettres qu'ils écrivent.

Mais mes recherches précédentes ont prouvé que le comportement de ces farangs évolue. Ils vont considérer ces relations avec les prostituées de Patpong de façon plus professionnelle, comme des transactions. Ils vont essayer de ne plus s'impliquer émotionnellement.

Mais avec les nouveaux venus et les vieux de la vieille, il y a beaucoup de filles qui ont fait un mariage heureux et se sont installées ailleurs. D'autres deviennent les maîtresses d'expatriés.

Le raisonnement tenu par le farang est plus intéressant et peut-être plus difficile à expliquer, du moins pour moi.

Les racines des Thaïlandaises sont enfouies au plus profond de leur famille. Elles ont le sens des obligations familiales et se doivent de soutenir leur famille. Ce qui peut surprendre les farangs, car les prostituées occidentales parlent rarement de leur famille. A l'ouest, elles dépensent l'argent pour s'acheter de la drogue ou autre chose mais jamais pour donner à leur famille.

Le farang qui débarque entend dire que la fille a besoin d'argent pour acheter un buffle ou autre chose pour sa famille. Je pense que cela peut le dérouter: Il se demande: «que se passe-t-il ici ? Et d'abord que fait cette fille ici ? Qui la force à faire ça ? Elle fait ça contre sa volonté, parce qu'elle y obligée».

Un jugement moral est d'abord avancé: «OK, elle fait ça pour des raisons morales. Avoir des pratiques immorales pour des raisons morales devient quelque chose d'acceptable. Je suis désormais investi d'une mission: la sortir du piège où elle s'est laissée enfermée. Je vais lui montrer le droit chemin, selon un concept occidental».

Pour les hommes vraiment moches, c'est une opportunité formidable pour eux de regonfler leur égo de machos. Ils peuvent se dire: «je suis attirant sexuellement ! Pour la première fois de ma vie, je suis attirant sexuellement ! Une fille magnifique tient beaucoup à moi, m'aime et prend soin de moi». Alors, il a envie de donner, de lui venir en aide.

Quand un nouveau venu se promène dans le quartier de Patpong, c'est une fille expérimentée qui l'aborde. Une fille nouvelle dans le métier n'oserait pas aborder la première un farang dans la rue. Ce dernier se trouve dans une position désavantageuse parce qu'il négocie avec une fille qui a des années d'expérience derrière elle. Elle peut tirer profit de son expérience passée, lui montrer qu'il l'attire et établir une relation de très bonne qualité avec lui. Et il tombe dans le panneau.

Mais une fois que la relation dure, s'il est capable de prendre soin d'elle, s'il peut devenir un soutien financier et si la relation lui plait, la fille commence à s'intéresser à l'homme non seulement pour l'argent mais aussi pour la sécurité.

Quand les prostituées atteignent la trentaine, il faut qu'elles trouvent un moyen de s'en sortir, soit en mettant de l'argent de côté ou en mettant la main sur un étranger. Pour elles, un Thaïlandais est inaccessible ou alors c'est un conducteur de taxi ou un coolie, mais ce serait plus un poids qu'un soutien réel. Si une fille souhaite développer une vraie relation avec un farang, s'il est attentionné et s'il a des moyens financiers, je pense qu'il y a des chances que cela devienne une relation où l'émotion joue un rôle. Apparemment, cela arrive souvent. Mais bien sûr, dans beaucoup de cas, les filles tombent amoureuses tellement souvent qu'elles ont de moins en moins d'espoir de trouver le bon partenaire.

Les filles qui se situent dans la moyenne, qui ne sont pas très expérimentées, mais assez pour capter l'attention d'un farang qui débarque, l'attirer et développer une affection mutuelle, peuvent finir dans un pays étranger et se marier.

Comme ce livre le montre, beaucoup se marient et disparaissent du marché. Cela veut donc dire que certaines relations fonctionnent. Quand vous démarrez une relation avec une Thaïlandaise, vous ne vous engagez pas dans une expérience avec un individu, mais avec toute une famille. Quand vous épousez la fille, vous épousez également toute la famille. Vous ne pourrez pas l'isoler de cette entité. C'est impossible, vous devez négocier avec son père, sa mère, ses tantes, ses oncles.... Et si vous avez des moyens financiers, les membres de la famille vous bombardent de requêtes et considèrent que vous avez une obligation envers eux. Si vous n'êtes pas prêts à endosser toutes ces responsabilités, il faut repartir. Cela vaut pour une fille bien comme pour une prostituée.

Une autre différence de taille: vous n'offrez jamais d'argent à une fille en Occident. Vous pouvez lui acheter un cadeau qui vous coûte la même somme d'argent, mais la fille considère que ce n'est pas de l'argent, mais une preuve d'amour et d'affection.

La Thaïlandaise tient le raisonnement inverse. Si vous lui donnez de l'argent, c'est comme si vous lui offriez un cadeau. Elle ne considère pas que cet argent a une connotation péjorative. A l'ouest, c'est impossible. Ce serait ressenti comme un comportement misogyne et condescendant. En Thaïlande, ce sont les filles, elles-mêmes, qui attendent que les hommes fournissent un soutien financier.

Avec les filles de la classe moyenne, c'est un peu différent. Elles restent seules en se disant: «si je ne trouve pas le bon partenaire, je préfère rester seule». Beaucoup restent célibataires le restant de leur vie. Il est de plus en plus difficile pour une fille de la classe moyenne de trouver un petit ami au lycée ou à l'université, alors elles s'investissent dans leur vie professionnnelle. Elles sont très exigeantes. Elles ne veulent pas dépendre d'un homme financièrement. Elles développent une agressivité dans leur travail. Mais elles manquent le train et ne peuvent pas faire demi-tour pour le prendre en marche. Après 30 ans, il est pratiquement impossible pour une fille de trouver un mari. C'est extrêmement difficile.

Je ne dis pas qu'il y a plus de célibataires que de femmes mariées parmi les filles de la classe moyenne, mais je pense que leur nombre augmente. Elles cherchent dans leur compagnon thaïlandais, un ami, mais elle ne trouvent qu'un partenaire égoïste et dominateur. Une fois qu'elles peuvent s'émanciper (une fois qu'elles peuvent subvenir à leurs besoins), elles commencent à se poser des questions: «Pourquoi devrai-je entretenir ce genre de relations ?»

Il est certain que la plupart des Thaïlandais n'entendent pas modifier leur comportement. Je pense que la majorité sont irresponsables avec les femmes. Les raisons sont évidentes.

Les femmes entretiennent des relations très étroites entre elles alors que les hommes vont et viennent. Les hommes peuvent être recrutés dans l'armée pendant deux ans (ou plus, il n'y a pas si longtemps quand il y avait encore des champs de batailles), ou peuvent être recrutés comme coolies et passent la plupart de leur temps à l'extérieur. Les femmes, elles, sont toujours là, elles travaillent aux champs, élèvent les enfants et assument tous les aspects financiers pour faire marcher la maison.

Il faut aussi incriminer l'attitude des femmes à l'égard de leur fils. Elles préfèrent avoir un garçon et en font un enfant gâté. Les mères thaïlandaises espèrent que leur fils porte la robe jaune des bouddhistes et gagne des mérites pour toute la famille. Traditionnellement, les garçons sont plus chouchoutés que les filles. On éduque les filles pour qu'elles deviennent responsables, qu'elles soient capables de tenir une maison, travailler aux champs, faire la cuisine, les garçons, eux, n'y connaissent rien. Une association de féministes en Thaïlande m'a expliqué qu'il faudrait revoir la façon dont les garçons sont éduqués, leur donner le sens des valeurs. Je crois que c'est très important.

Au Nord de la Thaïlande; une prostituée peut revenir au village et épouser un des villageois. Lui y trouve un intérêt: la fille a mis de l'argent de côté ou a acquis un terrain. C'est bien accepté dans le Nord du pays. Mais dans le Nord-est, c'est plus problématique. On stigmatise ces filles qui sont au centre des ragots et des moqueries du village. Alors, les filles du Nord-est cachent à leurs amis et à leur famille qu'elles se prostituent.

Par contre, les filles du Nord peuvent aller directement de leur village au salon de massages ou au bordel. Et quand elles reviennent au village, elles sont complètement acceptées. Je ne pense pas que cela soit le cas au Nord-est. Chez les gens du Nord-est se crée un réseau de travailleurs saisonniers qui vont à Bangkok pour vendre de la nourriture ou faire un petit boulot. Les gens se regroupent par province ou par village. Quand ils viennent de la même province, du même district, ils se connaissent, ils s'entraident. Mais une fois que l'on a découvert qu'une fille se prostituait, c'est très difficile pour elle. Et épouser un farang est pour elle la meilleure option. Je pense qu'au Nord-est, on met très peu de pression sur les filles pour qu'elles ramènent de l'argent à la maison. Au Nord, la pression est énorme. Elle est moins le fait des parents que celui de l'exemple à montrer aux frères et soeurs qui veulent réussir à leur tour. Elles veulent de l'argent, elles veulent ressembler à ces filles si jolies qui sont parties à Bangkok pendant un an et qui reviennent au village. Les autres veulent les imiter. Elles veulent une nouvelle maison, une voiture et beaucoup d'argent pour pouvoir le dépenser.

La pression exercée par la famille est moins forte que celle exercée par les exemples qu'elles voient.

Au Nord, vous ne pouvez pas mettre la prostitution sur le compte de la pauvreté. D'abord comment définir la pauvreté ? Est-ce quand vous n'avez rien à manger ? Ce n'est pas le cas au Nord. Mais si vous êtes pauvres parce que vous n'avez pas de moto, de camion, de téléviseur couleurs, de magnétoscope, alors de fait, les choses sont différentes.

Au Nord de la Thaïlande, la majorité des filles se prostituent parce qu'elles veulent devenir des consommatrices modernes. Elles veulent pouvoir (au moins autant que les filles de la classe moyenne) consommer autant qu'elles le désirent. Donc, en un sens, c'est cette culture des centres commerciaux, cette soif de consommation qui les a poussées à se trahir elles-mêmes. Au Nord-est, c'est un mélange de pauvreté et de soif de consommation.

Parfois, la pression peut réellement venir de la pauvreté, car les gens y sont beaucoup plus pauvres qu'au Nord. L'agriculture de subsistance n'est plus une solution viable. La migration saisonnière devient une nécessité et les gens montent de petites entreprises, deviennent vendeurs ou colporteurs. Et les années de présence des GI américains à Udorn, Ubon et d'autres villes du Nord-est, leur a prouvé qu'elles pouvaient obtenir un peu d'argent en devenant non pas une prostituée mais une maîtresse payante, une «mia chow» (un terme que les habitants du Nord-est préfèrent à prostituée).

A Patpong comme là où se regroupent beaucoup de filles du Nord-est ou de la plaine centrale, se crée un phénomène d'identité qui les isole des autres prostituées. Les filles du Nord-est ne se considèrent pas commes de prostituées à part entière, elles se définissent comme des entraîneuses ou des danseuses.

Les Occidentaux qui ne connaissent la Thaïlande qu'à travers les magazines et les publicités des agences de voyages et qui pensent s'offrir du bon temps pendant quelques heures ou quelques jours, dans ce que l'on appelle l'industrie du sexe, ne savent pas ce qu'ils vont trouver. Ils ne sont pas prêts aux années de traumatisme que ces lettres expriment.

Je pense qu'ils arrivent avec une vision superficielle de ce qu'est la réalité. Ils finissent par comprendre la complexité de la situation, mais ne sont pas équipés pour résoudre ces problèmes et risquent de partir avec une migraine. Alors, ils partent en laissant une partie d'eux même, ici. Et au lieu d'avoir du bon temps (parfois tout de même ils en ont), ils s'en vont en laissant une partie d'eux-même à Patpong, qui n'est pas l'endroit le plus charmant pour laisser une partie de soi-même.

Ces lettres sont la preuve de cet attachement, ce désir d'affection et d'amour qu'ils ont trouvé à Patpong et qu'ils n'ont pas dans leur société, dans leur pays. En venant chercher quelques jours de bonheur, ils ne trouvent que des tourments qui dureront des années. Est-ce que cela en vaut bien la peine ? Je pense que c'est cette question que les farangs doivent se poser avant de venir en Thaïlande.

Ils ne sont pas prêts à faire face à cette complexité, à cette charge émotionnelle qui pèsera sur leurs épaules durant plusieurs années. La plupart d'entre eux ne pensent pas qu'ils seront confrontés à ce type de problème et ils emportent avec eux ces problèmes.

Le nombre de prostituées thaïlandaises varie entre 300000 à un million, selon les sources. Sur l'ensemble de l'industrie du sexe, 65 à 70% viennent du Nord, les 30% restant viennent du Nord-est et du reste du pays. Mais je pense qu'à Patpong, Soi Cowboy ou Pattaya, la plupart viennent du Nord-est. Peut-être à cause de leur peau plus brune et parce qu'elles savent qu'elles ne correspondent pas aux canons de beauté thaïlandais, elles pensent qu'elles plairont plus aux Occidentaux.

C'est peut-être vrai, je me suis entretenu avec beaucoup de mama-san et elles disent que les filles du Nord-est savent mieux y faire avec les étrangers que les filles du Nord. Peut-être parce que les nouveaux venus préfèrent les filles plus agressives. Les filles du Nord sont timorées. Les filles du Nord-est arrivent donc à avoir plus de clients que celles du Nord.

Les Thaïlandais se moquent de Patpong et considèrent que les farangs sont stupides de dépenser de l'argent avec des filles qu'ils trouvent moches. Les filles de Patpong ne correspondent pas à l'image que se font les Thaïlandais de la femme idéale. Elles sont grossières, effrontées, elles n'ont rien de respectable. Donc les femmes et les farangs sont là parce que les deux le veulent bien et qu'ils sont libres de le faire.

Pourquoi ces filles sont-elles là ? On est obligé d'évoquer la disparition progressive de la communauté paysanne. Mais il faut ajouter l'absence de jugement moral. Quand vous parlez de principes moraux à ces filles, elles répondront qu'elles font un métier formidable qui leur permet de donner une éducation à leurs frères et soeurs. Elles ne comprennent pas où se situe le problème, puisqu'elles vendent quelque chose qui leur appartient. Il est difficile de discuter avec elles. Je pense que les principes moraux ne sont pas le propos ici.

La prostitution devient en même temps sécurité sociale et divertissement. Et c'est le moyen de trouver une vie meilleure pour elles-mêmes. Ce sont des femmes qui pensent à l'avenir. Il est très difficile de les classifier.

La question n’est pas l’inégalité entre les sexes. Les deux sexes sont exploités.

Details Techniques

Les lettres qui sont dans ce livre ont été fournies par des filles de bars de Bangkok. Nous leur avons demandé de nous donner toutes les lettres qu'elles avaient reçues provenant d'hommes étrangers et de nous raconter leur vie. Nous en avons rejeté des centaines, ainsi que beaucoup d'entretiens, pour ne garder que les plus représentatives.

Il est impossible de connaître le destin de la plupart de ces relations. Dans bon nombre des cas, les filles elles-mêmes ignoraient pourquoi elles avaient été choisies. D'autres étaient sur le point de rejoindre leur petit ami dans un pays étranger.

Afin de garantir à chacun un parfait anonymat, nous avons communément appelé «chérie», toutes les filles de bars. Nous avons supprimé tous les noms d'auteurs, la description de leur profession, ainsi que tous les noms de villes, les substituant au nom du pays. Toutes les dates ont été remplacées par «bientôt» ou «récemment».

Quand les auteurs ont mentionné leur nom dans leur texte, nous avons simplement remplacé le vrai patronyme par deux autres «Hubert» et «Floyd».

La grammaire parfois hasardeuse des lettres correspond au texte original. Les corrections n'ont été que d'ordre typographique. Tous les mots thaïlandais employés par les auteurs sont traduits dans un glossaire.

Dave s'est chargé de la recherche des lettres, alors que je m'occupais d'interviewer les filles. Je me suis entretenu avec celles qui parlaient suffisamment bien l'anglais, leur réponse ont été reproduites intégralement.

Les filles de bars que j'ai interviewées ne correspondent pas toutes à celles qui ont reçu les lettres publiées. La raison en est simple: la plupart des filles qui ont donné à Dave des lettres fascinantes et romantiques n'étaient pas toutes très éloquentes et lucides. De même, des filles passsionnantes ont refusé de rendre publique leurs lettres les plus intimes ou ne les avaient pas conservées.

Certaines filles ne possédaient qu'une seule lettre intéressante alors que d'autres, en avaient des tas. Nous avons également changé l'ordre de publication des lettres et des entretiens afin qu'on ne puisse identifier qui que ce soit en lisant ce livre.

Glossaire

Ab nam: prendre un bain ou une douche
Baht: monnaie thaïlandaise
Butterfly: (argot) personne volage
Cheap Charlie: radin
Chuk wa: (argot) se masturber
Don Muang: l'aéroport international de Bangkok
Farang, falang: étranger
G.I.: soldat d'infanterie dans l'armée américaine
Ganja: marijuana
Hua Hin: une station balnéaire
Juk jik: (argot) fille écervelée
Khow pat moo: riz frit au porc
Koh Samet: station balnéaire, île près de Bangkok
Koh Samui: île dans le sud de la Thaïlande
Kuay: (argot) pénis
May maw: moche
Men: mauvaise odeur
Mekong: whisky thaïlandais populaire, du nom du fleuve
Noy: nom commun, pour une Thaïlandaise
Pat prio wan: plat frit aigre-doux
Patpong Road: célèbre quartier chaud de Bangkok
Pattaya: station balnéaire proche de Bangkok
Petchburi Road: quartier dont les bars et les boîtes de nuit étaient très fréquentées par les soldats américains pendant la guerre du Vietnam dans les années 60
Phuket: une autre île avec bungalows au sud de la Thaïlande
Pratunam: un quartier de Bangkok

Sabaï sabaï: ça va bien
Sanuk: plaisir
Sawadee: bonjour
Smack: héroïne
Suriwong: un hôtel proche de Patpong
Taleh (ou dolae): dire un mensonge
Tchak waho: même définition de chuk wa
Teelak ou tee rak: chérie
Tuk tuk: tricycle à moteur
VDO: vidéo
Yat: cousin

BRITISH AIRWAYS
volant entre________
et________________
En Première Classe

Chérie,

Je (Hubert) t'écris de l'avion parce que je veux que ma lettre te parvienne aussi vite que possible.

Je vais essayer d'utiliser des mots simples pour que ton amie puisse te les traduire en thaï.

Hubert était très très triste de te dire au revoir ce matin à l'aéroport de Don Muang. Comme toi, Hubert pleure. Mais ne t'en fais pas, Hubert va revenir te voir très bientôt. Je vais essayer de revenir à Bangkok pour te voir. Je pense que je peux rester deux (2) semaines la prochaine fois.

Je veux te dire tellement de choses. Je me sens très mal dans cet avion, tu me manques déjà. Et je suis furieux car je ne peux pas t'écrire en thaï. Désolé.

Je veux te dire un grand merci pour m'avoir accompagné à l'aéroport (Don Muang). Je sais que tu étais triste (Hubert aussi), mais Hubert était très heureux de t'avoir à ses côtés et très fier de toi pour avoir été très courageuse.

Je vais essayer de t'aider en te donnant de l'argent. Mais, s'il te plaît, ne t'attends pas à de grosses sommes parce que maintenant il faut que je mette de l'argent de côté pour revenir à Bangkok bientôt.

Je vais t'envoyer une autre lettre pour te dire combien j'ai (d'argent) à la banque. Pas grand chose, désolé.

Ça m'a fait plaisir de t'offrir ces petits présents (cadeaux). Je t'en enverrai d'autres bientôt.

Maintenant voilà le plus important:

TRES IMPORTANT ET TOP SECRET

J'aurais voulu te rencontrer dès mon arrivée à Bangkok. Nous n'avons pas passé assez de temps ensemble. Mais j'ai vraiment aimé ta compagnie et Hubert était bien avec toi. Je trouve que tu es une jolie fille (très mignonne) et surtout quand je te vois danser, je suis très attiré par ton jeune corps ravissant (très sexy !)

Mais, quand on a passé plus de temps ensemble, je commence à penser que chérie est vraiment charmante. On s'amuse bien avec toi et tu as un grand coeur. J'ai vraiment aimé sortir avec toi et, grâce à toi, le vieil Hubert se sent très jeune à nouveau. Je dis le vieil Hubert. Tu sais Chérie, Hubert a plus de quarante ans. Assez vieux pour être ton père ! Qu'en penses-tu ? Tu penses peut-être que Hubert est un «vieux cochon» pour coucher avec une jeune femme (toi). Hubert a beaucoup aimé te faire l'amour. Mais comme tu es bien plus jeune, parfois le vieil Hubert a du mal à donner du plaisir à chérie. Tu as tellement d'énergie. C'est pour ça que je dis (pour plaisanter): «docteur, docteur, aidez-moi, donnez-moi des médicaments (vitamines) s'il vous plaît. Pour que je puisse faire encore l'amour avec ma chérie».

Maintenant je ne plaisante plus.

J'adore faire l'amour et j'espère que toi aussi. Mais il y a autre chose dans la vie. Je crois que nous sommes devenus de très bons amis et j'espère rester ton ami pour toujours. Tu ne connais que quelques mots d'anglais et je ne connais que quelques mots de thaï, mais je crois que nous sommes faits l'un pour l'autre. J'ai eu de la peine quand tu m'as dit que tu n'avais ni mère ni père à Bangkok. Est-ce qu'ils sont morts ? S'il te plaît, parle-moi de ta famille. Je voudrais mieux te connaître.

❧❧❧

Ma douce caline,

Désolé de ne pas t'avoir répondu plus tôt. Mais tes lettres mettent beaucoup de temps pour me parvenir. Une de tes lettres a mis plus de deux semaines pour arriver. Est-ce qu'il y a des problèmes avec la poste dans ton pays ?

Pourquoi est-ce que tu pleures et bois de la bière ? Tu sais bien que je plaisante. Je dis que tu es un «papillon», parce que ça fait longtemps que je n'ai pas eu de tes nouvelles et je m'inquiète vraiment trop pour toi. OK, c'est stupide de dire ça, excuse-moi—je sais que tu es une bonne fille et je te fais confiance à 100%. Donc quand je dis quelque chose dans une lettre, ne me prends pas trop au sérieux (souvent dans mes lettres je te parle comme si tu étais assise à côté de moi et je blague, tu sais bien que je dis quelque chose et après je souris, parce que je sais que ça t'énerve et que tu vas me frapper, c'est pareil !) quand j'écris une lettre, c'est comme si tu étais avec moi. Alors, arrête de pleurer soeur Yat !!!!

Je t'envoie 4 photos vraiment chouettes et tout ce que tu trouves à dire c'est P.S.: «tu ne me parles que de papillon !!! C'est chiant!» Dans ta lettre, parle-moi plus de toi et dis-moi ce que tu penses de ma famille, comment vont tous mes amis en Thaïlande, où ira-t-on quand je reviendrai ?

Je suis furieux: j'envoie une longue, longue lettre juste après Noël—j'écris plein de pages, mon frère écrit une lettre et j'envoie un peu d'argent, 10 livres (environ 430 bahts). Je suis dégoûté. Quelqu'un l'a volé à la poste ou chez toi.

Écoute, je pense à toi tout le temps et j'ai pas de copine farang, alors ferme-la. Je pourrais avoir une farang mais je n'en ai pas envie. Je rêve tout le temps de toi et je veux te câliner, te serrer dans mes bras, t'embrasser et te faire l'amour jour et nuit. Quand je suis dans toi, plus rien n'a d'importance, j'ai tellement envie de toi et tout ce que j'ai c'est mon oreiller et «chuck wa» !!!!

Je veux que tu fasses attention à ton corps pour moi. Si tu m'aimes, tu arrêtes de fumer, tu arrêtes de boire et tu ne montes pas sur les motos. Tu as une peau ravissante. Je ne veux pas que tu aies des brûlures de cigarettes sur la jambe comme avant à Patpong et je t'en prie, arrête de fumer, je ne veux pas que tes superbes jambes finissent par avoir des varices et je ne veux pas que tes pieds te fassent mal à force de danser avec des talons aiguilles. Au fait, dis-moi est-ce que tes jambes sont toujours aussi belles ?

PRENDS SOIN DE TON CORPS !!!

Je m'inquiète aussi beaucoup pour toi parce qu'on parle tout le temps du Sida dans mon pays. Les gens ont vraiment peur de ça ici, le Sida tue plein de farangs (surtout des lady-men (homosexuels) qui baisent par derrière (enculent) et les gens qui se piquent, tu sais avec une seringue dans le bras). Mais ça commence à se propager chez les hommes et les femmes qui baisent normalement. Je me fais tellement de soucis pour toi ma chérie. C'est moi qui pleure maintenant ! Je sais que t'es une fille intelligente, une fille bien, je sais que tu utilises un préservatif à chaque fois mais j'ai peur quand même parce que le préservatif n'est pas fiable à 100%.

Quand tu vas avec un client, choisis un type timide (qui n'a jamais été à Patpong avant). Des puceaux!!! Non, je blague, mais choisis des types biens, des vieux qui baisent pas. Ne va jamais avec les drogués. Ce sont les pires de tous. Tu as 99% de risques d'attraper le Sida si tu vas avec un homme qui s'enfonce une seringue dans le bras, tu sais, comme ta copine a vu une fois. Tu te rappelles, elle avait un client qui prenait de l'héroïne. Vérifie bien que tu as un bon docteur pour le test du Sida. Va à l'hôpital et pas chez des docteurs de merde qui sont nuls et fais attention que le docteur n'utilise pas une seringue qui a déjà servie quand il fait le test.

Quand tu me répondras, dis-moi bien si tu as un bon docteur pour le test du Sida. Mon dieu, je me fais trop de mauvais sang.

Écoute-bien ma chérie: je t'en supplie, arrête Patpong. Je sais bien que ça n'est pas facile et que tu dois envoyer de l'argent pour ton fils. Si tu as besoin de te faire soigner les dents, je t'enverrai de l'argent, comme ça tu auras de belles dents (je crois me rappeler que c'est 70 livres). C'est d'accord. Quand je reviens en Thaïlande, je veux que tu aies quitté Patpong. Est-ce que tu imagines ce que je ressens. Ma petite amie qui couche avec d'autres hommes. Ça ne tourne pas rond. Mon frère travaille aussi très dur, il économise tout son argent parce qu'il veut venir avec moi en Thaïlande. J'aimerais que tu viennes me chercher à l'aéroport. Mais qu'est-ce que je vais lui dire ? Je veux aussi que tu rencontres mon ami un jour. Qu'est-ce que je lui dis ? Et si on part encore en vacances, est-ce qu'il faudra que je paie encore 3000 bahts à ton bar de merde, juste pour passer une semaine de vacances avec toi. Ton patron n'est qu'un sale branleur (tu peux le lui dire de ma part). Un type qui se fait de l'argent en vendant le corps des jeunes filles est un cafard (Malang Sap). OK, je la ferme. Mais réfléchis à ce que je viens de dire. Quand je reviens en Thaïlande, je veux que mon bébé ait quitté Patpong et ait un bon boulot. Essaie, je t'en prie.

Réponds à toutes mes questions. Dans ta prochaine lettre, ne me dis pas seulement: «t'inquiète pas pour moi» ou «je t'aime pour toujours», écris-moi une longue lettre et réponds à toutes mes questions et ne sois pas triste ou fâchée. Tu sais que je t'aime. OK, ma douce caline.

Envoie-moi une lettre dès que tu auras reçu celle-ci (ne vas pas boire un coca dans la rue ou regarder une vidéo avec ta copine). OK, tais-toi maintenant ma douce caline.

Je serai bientôt de retour. Je travaille dur pour gagner plein d'argent et revenir vite en Thaïlande. J'aurais pu revenir plus tôt mais cette fois je vais apporter plus d'argent. Je compte avoir 100000 bahts en poches et rester un bout de temps. Je veux prendre des cours pour apprendre à parler et écrire thaï !!! Avec 100000 bahts, je peux rester à Bangkok plus d'un an sans travailler. Quand je connaîtrais bien ta langue, je pourrais trouver un bon boulot comme professeur d'anglais (et voir plus d'argent et un meilleur boulot que si je ne parle pas bien thaï.)

Qu'est ce que tu en dis ? C'est une bonne idée ? Donc, ne t'en fais pas très bientôt et avant que tu ne penses, tu pourras me serrer dans tes bras à l'aéroport et dans le tuk tuk et après, ce que je veux, c'est aller à Chiang Mai avec toi, en avion ! Dépêche-toi de m'expédier une cassette (ne le fais pas, si c'est trop cher de l'envoyer en Angleterre). J'aimerais que tu m'apprennes quelques mots nouveaux. Tu dis le mot d'abord en anglais puis en thaï, tu comprends mon bébé ? Continue d'apprendre l'anglais. Je n'ai pas oublié les mots que j'ai appris en thaï. Je suis pas dingue !!!! Écris vite. T'aime plus que tout. Dis-moi si tu m'aimes. Je connais la réponse mais j'adore quand tu me le dis. xxxxxx

Chérie,

Ma tête est en Thaïlande et mon corps est en France. Ma vie est ainsi faite. J'écoute tous les jours le disque de chansons thaïes que j'ai acheté seul le dernier soir à Patpong. Toi, tu étais à Pattaya.

Je suis si heureux de te revoir la dernière fois. Parfois je ne comprends pas ce que tu ne comprends pas. Ça n'est pas grave. C'est un tel bonheur de te connaître et de faire en sorte que tout aille bien et d'avoir du bon temps avec toi.

Je passerai bientôt à Bangkok, peut-être avec ma femme. Ne t'inquiète pas, ma femme est une très bonne amie, tout comme toi. Je pense que tu comprends.

Est-ce que tu as ouvert un compte à la Thaï Farmers Bank, comme tu me l'as dit, la dernière fois ? Si tu veux que je t'envoie de l'argent, tu dois ouvrir un compte.

Salut, ma jolie chérie. A très bientôt. (Je ne reste que deux jours)

❧❧❧

Chérie,

Dans mon appartement j'ai installé le grand bouddha que j'ai acheté près de l'hôtel Ramada. Je suis très heureux de l'avoir car comme ça, je peux souvent faire de la méditation.

Fais-tu de la méditation, toi aussi ?

J'espère, parce que c'est fantastique. Rien que pour ça, c'était important que j'aille en Thaïlande. Ça m'a changé et je pense que je vais maintenant dans la bonne direction ou du moins dans une meilleure direction qu'avant.

Il se fait tard et je voudrais me coucher, tu veux peut-être venir dans mes rêves !

Je veux t'écrire encore et bientôt, c'est sûr. Je t'envoie des milliers de baisers et tout mon coeur.

❧❧❧

Chérie,

Je viens de virer 200 dollars sur ton compte à la Bangkok Bank. Tu devrais avoir l'argent au moment où tu lis cette lettre. Je veux que tu t'en serves pour étudier ou que tu le gardes pour ton avenir. Souviens-toi que cet argent est pour toi seule.

J'espère que tu te portes bien et que tu es heureuse. On se verra bientôt. Je vais t'envoyer une autre lettre pour te dire exactement quand et sur quel vol j'arrive. Je suis impatient de te revoir.

Pourrais-tu m'envoyer une lettre dès que tu reçois celle-ci, pour me dire si tu as l'argent ou non. J'espère que tu apprends toujours l'anglais et qu'on pourra mieux communiquer à l'avenir!

J'espère aussi que tout va bien dans ton boulot et que ça marchera encore mieux quand la saison touristique démarrera. Tu me manques !

Je t'embrasse.

Elle vit à l'étage dans un immeuble lugubre, semblable à ceux dans lesquels bon nombre de filles de bars ont élu quartier. Un ventilateur au plafond brasse l'air humide et des odeurs de cuisine s'échappent d'une assiette chaude, posée à même le sol dans le couloir. Ses ongles de pieds sont roses et brillants, elle a six bagues aux doigts, dont certaines en or. Sa mère, assez âgée, décharnée et la peau ridée sort seins nus de la salle de bains et passe une chemise. La fille lève montre sa mère du doigt et dit fièrement: «sexy !». La mère répond par un sourire édenté et s'en va.

Les toiles d'araignées pleines de poussière oscillent aux quatre coins du plafond. La pièce est séparée par une cloison en contre-plaqué turquoise. Au mur, une grande affiche: quelqu'un a barbouillé les lèvres d'un jeune acteur thaïlandais avec du rouge à lèvres violet. Plus loin, la photo d'un bébé plus grand que nature. Ils sont cinq à se partager la chambre (qui est à peine plus grande que le lit) deux enfants, la soeur de la fille de bars, la soeur du petit ami et une amie. Elle dort avec son fils et sa mère dans la seule autre chambre à côté d'un magnétoscope et d'une cible de jeu de fléchettes. Sur le lit, derrière elle, un bébé, nu, dort sur le dos. Au sol, un lino a simplement été déroulé. Sur la plus haute étagère trône un animal empaillé, grisâtre dont les yeux ont été arrachés.

Que penses-tu de toutes ces lettres que tu reçois ?

Trop gentilles. Toutes les lettres gentilles. Un Allemand écrire et aussi envoyer de l'argent. Lui très bon. Autres hommes m'oublier parce que eux juste aimer envoyer une lettre et après fini, plus rien. J'aime bien cet Allemand parce que très bon, lui jeune mais bon esprit. Je ne vois jamais d'autres Allemands comme lui. Je l'aime bien. prend soin de moi, pas papillon. Je le connais deux ans et demi. Je l'aime bien mais pas plus. Ça fait trop mal, j'ai trop peur de tomber amoureuse. Parce que le premier m'a fait très mal. Un Anglais. L'Allemand m'aime trop.

Est-ce que tu crois à ce qu'il écrit ?

J'y crois. Je lui parle déjà de l'avenir. Si je me marie, je veux rester Thaïlande parce je dois m'occuper de beaucoup de choses. Ma famille. Ma mère, mon fils. Mon petit ami ne vit pas dans la ville, mais village. On s'ennuie beaucoup. Je suis allée Allemagne deux fois.

J'aime bien lui famille, s'occupe bien de moi. Je crois pas que j'aime l'Allemagne, trop froid pour moi. Il dit: «OK», il aimerait rester en Thaïlande mais difficile. Parce qu'il a pas de boulot. Maintenant, moi 27 ans. Vieille ? Moi Bangkokoise. Je travaille Patpong mais j'aime pas. J'aime pas montrer mon corps aux gens dans go-go bar. Quand je danse, il faut d'abord que je sois saoule, comme ça pas timide. Pas mal de filles aiment pas trop, mais pas le choix. Parce que Thaï lande difficile de trouver un boulot. Filles viennent de partout. Pas facile. Tu veux un travail. Dans ma famille, tout le monde est charpentier. Difficile. (rires) Pas mon style. Travail très dur, très fatigant. Ma mère a mis longtemps pour savoir ce que je fais.

Pourquoi es-tu une fille de bars ?

Plein de farangs posent la question parce qu'ils donnent jamais d'argent à mère. Mais pour tous les Thaïlandais, tradition quand la mère vieille, on doit rembourser. Deux, trois ans qu'elle est au courant pour mon boulot. Elle peut rien dire. Qu'est-ce qu'elle peut dire ? Parce que je fais déjà. Au début, elle se sent pas bien. Elle pense pourquoi, pourquoi tu as fait ça ? Et puis c'est tout parce que ma tatie mariée avec un farang. Plus de 10 ans. Je commence à apprendre anglais. Trois mois. Je dois apprendre. Prend beaucoup de temps. Au début, c'est marrant. J'ai un dictionnaire, je garde avec moi. Quand farang me pose une question, je dois regarder dans dictionnaire. Ce gars, je le connais deux ans, il prend toujours soin de moi. Plus qu'il faut. Je paie la chambre, donne 5000 bahts à ma mère tous les mois parce qu'elle s'occupe de mon fils.

Combien dépenses-tu par mois ?

Plus de 10000 bahts.

Etre fille de bars, est-ce que c'est un bon ou un mauvais boulot ?

Peut-être bon, peut-être pas. Parce que fille vient toujours Bangkok pour trouver travail, peut bosser ici et peut-être c'est bon pour son avenir. Mais aujourd'hui il y a trop de filles qui travaillent. Un homme, il se marie avec moi, je m'en fous riche ou pas. Mais juste une chose: il peut se charger de moi et ma famille. Des filles travaillent deux ans, elles s'amusent, elles deviennent dingues. Dingues comme quelqu'un qui pense que tant qu'il y a encore la vie, il faut s'amuser. Parce qu'elle peut voir plein de choses, elle peut tout savoir. Elle peut voir, peut apprendre comment le coeur se brise, comment elle doit se battre pour tout. Peut devenir dingue quand un type s'occupe un peu d'elle, puis après s'en va et oublie. Elle a mal et ça la rend dingue. Pour les Thaïlandais, quand on est avec quelqu'un, on en prend soin. Elle pense à l'avenir avec le type mais il pense qu'à payer un ou deux ans et oublie. Toujours dit à la fille: «t'aime» mais quand il rentre, il oublie. Écrit lettres pendant un an, c'est tout. Je pense que hommes plus vieux, bon pour moi. Ils m'aiment bien parce que moi fille intelligente, me contrôle. Quand nous restons tous les deux, on peut être amis, parfois frère et soeur, comme si on se connaît depuis longtemps. Homme plus âgé, il m'oublie pas.

Quelles sont les différences entre les hommes des différents pays ?

Pays différents mais je crois tous pensent pareil. Certains très bien, mais d'autres complètement dingues. Moi je m'en fous du pays. Les farangs se ressemblent tous, travaillent dur. J'ai un mari, est retourné en Angleterre. Je pense pas trop différent de mon pays.... Mais il peut trouver un bon boulot, pas comme en Thaï lande. Et s'il trouve pas de travail, gouvernement s'occupe de lui, pas comme en Thaïlande. Je me marie avec lui à peu près cinq ans. Mais maintenant plus ensemble. Très drôle comment je le rencontre. Je vais au bar pour boire et le vois arrêter moto et me demande: «t'as de la ganja ?» J'ai dit: «tu penses j'aime ça ?» Et il dit: «t'as l'air défoncé».

Pourquoi vous-êtes vous séparés ?

Tout le temps la bagarre. Lui, dingue. Le problème, c'est lui trop jaloux parce que je fais l'ouverture du bar et que je dois m'occuper des clients, je dois beaucoup parler. Mais il comprend pas. Il pense, je dois aller avec le type. Il achète le couteau, (rires) dit au client: «tu peux parler à ma femme mais tu ne la touches pas». Je dis jamais au client j'ai un mari, pas bon pour le business et je continue à parler. Après il paie un verre, il pense que ce bar très bien et il revient. J'ai un fils.

Qui est le père ?

Je ne veux pas dire. La première fois que tu travailles, tu ne sais pas de qui. Il a à peu près six maintenant.

Est-ce que tu as peur du Sida ?

Beaucoup de gens en ont peur. On peut en savoir plus. Les filles parlent. Beaucoup d'hommes n'aiment pas le préservatif. Si met un préservatif, l'homme dit: «très différent, peux pas y arriver». Je dis à ma copine: «tu dois faire attention».

Est-ce que tu as des conseils à donner à une fille qui envisage de devenir fille de bars ?

Faire ce travail, pas bon. C'est mieux si elle peut trouver un autre travail. Je crois la fille plus âgée est meilleure que la jeune, parce que la jeune pense à travailler pour s'amuser. Mais la vieille pense à comment faire de l'argent ce soir pour payer demain, pas à travailler pour s'amuser. Je pense que l'année prochaine je me marie avec lui. Et je vis en Allemagne seulement un an pas toute la vie. Mais si je peux trouver un boulot là-bas, je reste parce que la Thaï lande me rend dingue. Quand je suis avec farang en Thaïlande, je tiens jamais la main, je le laisse marcher devant parce que beaucoup de Thaïlandais ne comprennent pas pourquoi les filles thaïes vont avec farang.

Ma petite chérie,

La dernière fois que je t'ai vue me semble tellement loin. Chaque jour, j'ai envie de prendre l'avion pour Bangkok pour venir te voir, mais j'ai trop de travail en Belgique en ce moment et je ne peux pas venir.

Tu me manques beaucoup, beaucoup trop !

Je vis ici avec ma petite amie mais je pense tout le temps à toi et je n'ai pas envie d'elle, j'ai envie de toi!

Je pense trop à toi et je veux t'avoir à mes côtés tout le temps.

Je voulais te verser un peu d'argent sur ton compte en banque, mais c'est trop compliqué, j'ai donc mis de l'argent dans cette enveloppe.

Je voudrais t'envoyer plus, comme ça tu n'aurais pas à trop travailler, mais ce n'est pas possible, l'année prochaine peut-être, si mon travail marche bien, je peux t'envoyer assez d'argent pour que tu arrêtes de travailler et que tu prennes des cours d'anglais et de thaï.

Je sais que tu n'aimes pas que je t'envoie de l'argent mais c'est mieux qu'il vienne de moi que de quelqu'un d'autre.

Je ne sais pas trop quoi dire. J'ai peur de paraître stupide, mais je m'en fiche (il n'y a que toi qui compte et j'espère vraiment pouvoir m'occuper de toi très bientôt), je veux te rendre heureuse et voir ton beau sourire.

J'étais vraiment très heureux quand j'étais avec toi— peut-être que tu ne me croiras pas, peut-être que tu penses que j'ai des filles partout où je vais, mais je veux que tu me crois quand je dis que tu es quelqu'un de spécial pour moi, tu es tellement gentille et prévenante, je voudrais pouvoir rester avec toi tout le temps.

L'avenir nous dira si c'est possible et même si je ne suis pas très croyant, je vais prier pour que nous soyons réunis très bientôt (je sais déjà que je reviendrai à Bangkok l'année prochaine, mais je prie pour revenir cette année.)

Je ne suis pas le meilleur des hommes sur terre, mais au fond, si j'avais été un type parfait, je ne t'aurais pas rencontrée ! Je suis heureux de te connaître et j'espère que tu m'attendras et que tu auras assez de force pour tenir.

Je me souviens de quelque chose que tu as écrit dans ta lettre, tu me dis que tu dois essayer de tenir bon en pensant à l'avenir mais que tu ne trouves que de la souffrance. Tu pries pour des jours moins sombres dans l'avenir. J'espère pouvoir t'aider et alléger tes souffrances jour après jour. La vie n'est pas facile, mais ce n'est pas la peine de te le dire, tu le sais mieux que moi.

Mais je pense que la vie est belle et j'espère que je saurai te montrer combien elle l'est, mais tu dois pour cela être forte et patiente, tu dois croire en toi.

Je pense que tu es une fille fine et intelligente, j'espère que tu es sage. Il faut juste que tu acquières plus de connaissances, mais c'est ce qu'il y a de plus facile à acquérir.

L'intelligence t'est donnée à la naissance comme la beauté.

Les connaissances ce ne sont que des informations, comme un fruit qu'il suffit de cueillir. Mais seuls les gens intelligents savent comment utiliser la connaissance (j'ai rencontré beaucoup de gens stupides qui savaient des quantités de choses mais qui ne pouvaient pas les utiliser.) Tu es une jeune fille très belle et intelligente qui n'a jamais eu la possibilité de cueillir le fruit. J'espère que tu vas bientôt pouvoir le faire.

La sagesse est un mélange d'expérience et d'intelligence et c'est la chose la plus utile parce qu'elle permet à ton coeur et ton cerveau de comprendre et faire face à toutes les situations.

Si tu es sage, tu auras la force de m'attendre et tu feras un effort supplémentaire pour apprendre l'anglais.

Je te montrerai comment faire de demain un jour moins sombre dès que cela sera possible. Mais ce sera plus facile si l'on peut communiquer et parler directement.

J'ai dactylographié cette lettre pour que ce soit plus facile pour la traduction.

JE T'AIME A LA FOLIE ET TIENS A TOI PLUS QU'A N'IMPORTE QUELLE AUTRE FILLE. PRENDS BIEN SOIN DE TOI EN ATTENDANT QUE JE LE FASSE MOI MEME.

JE T'EMBRASSE.

Ne m'oublie pas, je serai toujours là pour toi.

Je t'aime et t'embrasse.

Chérie,

Me voici arrivé à bon port en Angleterre. Mon adresse se trouve au dos de cette lettre. Écris-moi, je t'en prie. Pardonne-moi d'avoir mis tant de temps à t'écrire.

J'espère que tu comprends mon écriture et mon anglais. Pourquoi n'apprends-tu pas l'anglais ? Ce serait une bonne chose pour toi.

Je viens d'acheter une moto pour 225 livres et je travaille dur. Côté argent, ça va. Mais j'en veux plus. Je veux devenir très riche. Je pense monter ma propre société cette année. Quand je serai riche, je t'achèterais un hélicoptère et une BMW.

Chérie, je t'ai aimée dès que nous avons été ensemble. Mais je ne sais pas si toi tu m'aimes. Je pense souvent que tu ne t'intéresses qu'à mon argent. Je me rappelle que tu m'as dit mille fois: «achète-moi une télévision». Même lorsque tu m'as accompagné à l'aéroport, tu me répétais sans arrêt: «Donne-moi de l'argent».

Chérie,

J'accuse réception de ta lettre qui vient d'arriver.

Au sujet de la fille que tu as rencontrée quand tu es venue me voir au «Nana Hôtel», je ne savais pas qu'elle ou il était hermaphrodite. Dès qu'on m'a mis au courant, j'ai décidé de ne plus la voir.

Je suis allé chez toi deux fois mais tu étais malheureusement partie chez ton père.

J'ai lu dans ta lettre que tu es allée au Gent Hotel mais c'est au Grace Hotel que je suis descendu après le Nana.

J'étais tellement déçu de ne pas te voir.

J'ai gardé un si bon souvenir de mon premier séjour en Thaïlande quand nous sommes allés en boîte.

Réponds-moi s'il te plaît dès que tu recevras ma lettre. Il se peut que je vienne à Bangkok très bientôt, je te ferai savoir quand.

Chérie, tu me manques. J'espère que tu continueras à m'écrire et à me raconter ce que tu fais. Es-tu encore étudiante, est-ce que tu travailles, combien de petits amis as-tu déjà eu ?

Ton amant t'envoie plein de baisers.

Chérie,

Je t'écris du bureau sur mon traitement de texte. Juste un petit mot pour être sûr que tu as bien reçu ma dernière lettre. Mon frère t'a écrit et j'ai glissé un billet de 10 livres pour toi. Espérons que c'est bien arrivé. Quoi que tu fasses, continue d'écrire!! Chaque semaine. Tu sais que ça me rend tellement heureux de lire tes lettres et ça me permet de savoir si tu vas bien, si tout est OK et que tu n'es pas morte !!!!

Tu me manques chérie tu sais et je me sens seul sans toi. La Thaïlande me manque. Je me souviens avec nostalgie des moments où nous partagions un Khow Phat Moo ou un Pat Prio Wan, où nous nagions tous les deux ou étions assis à l'arrière d'un tuk tuk (saloperie de tuk tuk), de tes taquineries.

Je bosse beaucoup à Londres et je devrais avoir de plus en plus de travail. Je gagne 7 livres de l'heure (environ 300 bahts).

C'est bon de savoir qu'il y a quelqu'un dans ce monde qui pense à moi. Londres est une grosse, grosse ville où chacun mène sa petite vie et ne s'intéresse pas à son voisin. Oui, c'est vrai, beaucoup de filles farangs, mais aucune me plaît autant que ma petite chérie thaïlandaise.

Fais attention à toi et prends soin de ton corps. ARRÊTE LA CIGARETTE, L'ALCOOL ET TIRE-TOI DE PATPONG ! Pourquoi tu t'en fais pour moi, chérie, après tout, je ne suis qu'un horrible farang de plus ! Ton amour me rend heureux.

De toutes façons, continue de m'écrire.

Je t'AIME. Fais attention à toi ma chérie. Je t'enverrai dans quelques jours des photos de ma famille. Mon petit frère dit qu'il veut t'envoyer de belles photos de lui. May Law !!

Dis bien à ta copine de prendre soin de son corps.

Avec tout mon amour

Chérie,

Tu n'as pas pleuré trop longtemps après mon départ (tu m'avais dit que tu ne pleurerais pas). «Taleh!»

Moi, j'ai eu beaucoup de mal à retenir mes larmes et j'ai pleuré à l'aéroport juste après ton départ.

Tu me manques énormément et je pense à toi tout le temps. Mais je pense vraiment que le jour viendra où on ira tous les deux à Don Muang et on prendra l'avion ensemble.

Toute ma famille a aimé les photos de Thaïlande et ils te trouvent très belle. Je ne leur ai pas montré celles prises à Pattaya (seulement à mon frère) où tu es assise sur ma tête sur la plage et sur mon Kuay dans le lit !

Chérie,

Merci pour ta lettre que j'ai reçue aujourd'hui. Elle m'a fait sourire car je me sens mal depuis que j'ai quitté Bangkok, je n'aime pas beaucoup l'Angleterre. Les gens ne sont pas sympas ici. Je préfère les Thaïlandais.

Ça ne se passe pas bien non plus au travail en ce moment. Il y a deux patrons, ils se sont brouillés et ne s'adressent plus la parole. La société où je travaille est en train de changer et ça n'est pas drôle. Je n'ai plus qu'à espérer que ça s'arrange.

Je pense à toi tous les jours, chérie, ça me fait du bien de regarder les photos de toi et de penser à toi. Mais en même temps, ça me rend triste parce que tu es à Bangkok et moi je suis en Angleterre. J'aimerais que l'on soit de nouveau ensemble, même pour un petit moment. J'espère que tu es en bonne santé et que tout va bien.

Moi ça va, mais ça me déprime de penser à la Thaïlande, j'ai tellement envie de revenir. Mais tu sais que je dois travailler pour gagner plus d'argent.

Je te promets de virer tout l'argent dont tu as besoin directement sur ton compte en banque. Sois patiente. Je ne peux pas pour l'instant parce que j'ai beaucoup de dettes à régler. Je t'enverrai de l'argent bientôt, d'ici deux ou trois semaines. Et dès que je pourrai, tu en recevras encore un peu plus. L'argent me file entre les doigts en Angleterre car tout coûte très cher. Essaie d'attendre encore un petit peu, s'il te plaît.

J'ai lu et relu ta lettre. Tu sais chérie, toi aussi tu es vraiment à part pour moi. Il faut me croire.

Tu ne l'as sûrement pas remarqué mais tu m'as beaucoup appris, j'ai vu et ressenti tellement de bonnes choses que ça m'a changé. Je ne me mets plus en colère. Je ne perds plus mon sang froid comme avant, comme si je voyais le monde différemment depuis que je te connais.

Peut-être que je suis devenu bouddhiste et que je m'améliore.

J'espère chérie que tu comprends tous les mots que je t'écris parce qu'ils viennent du fond de mon coeur.

❧❧❧

Chérie,

Mauvaise nouvelle !

Je pars demain et pas lundi. Le billet a changé.

Je t'aime bien et j'aurais voulu te parler encore.

Mais tu ne veux pas comprendre que j'ai besoin de toute ma concentration et de tout mon coeur pour mon travail, mon livre.

Je sors très souvent la nuit pour être au milieu des gens. Non pas pour aller faire l'amour avec plein de filles. Je suis pas un papillon.

Il faut que je sois au milieu des gens pour trouver de nouvelles idées, pour réfléchir et me délasser.

Il n'y a pas d'autres femmes.

Aucune femme n'est venue dans mon appartement. J'ai besoin de cet endroit pour moi seul. Je ne suis pas thaïlandais.

Tu m'en demandes trop.

Tu m'empêches de me concentrer et je ne peux pas écrire.

Alors que c'est important pour moi.

Tu ne connais pas grand chose aux Occidentaux.

Les gens peuvent être différents.

Il y a plein de choses que je n'aime pas en Thaïlande. Je n'y resterai pas toute ma vie.

Si on ne peut pas se parler, tu ne pourras pas apprendre à me connaître. Je sais bien que c'est difficile d'apprendre l'anglais sans aller à l'école mais je ne peux pas te donner d'argent. C'est bien simple, je n'en ai pas en ce moment.

Je suis souvent malheureux et déprimé. C'est dur, mais en même temps c'est bon pour mon livre.

Je sais que mon comportement est étrange.

Tu dois comprendre si tu veux rester avec moi que j'ai besoin de temps et d'espace.

Je t'oublie pas.

Je peux être jaloux aussi et ça me ferait de la peine d'apprendre que tu as été avec un autre homme. Pas parce que c'est mal d'avoir fait l'amour mais parce que ça salit ton âme.

Je pense que tu n'es pas stupide. Je crois que je veux rester avec toi. Mais maintenant, ça n'est pas possible. Je dois attendre et toi aussi.

Profites-en pour apprendre l'anglais, essaie au moins.

Il y a tellement de malentendus entre les gens. Ils sont tristes. Les gestes et le sens des choses sont différents selon les pays. La notion de respect aussi. Les sentiments sont différents. Les idées sont différentes.

Je voudrais t'offrir mon coeur quand j'aurai fini mon livre. Mais maintenant, j'en ai besoin pour écrire.

Je sors la nuit parce qu'il fait trop chaud pour moi dans la journée. Je viens d'un pays froid. Tant d'années passées dans un pays différent façonne une personne.

Bonjour,

J'ai 31 ans, je mesure 1m80, je suis chef d'entreprise. J'ai une Porsche et une maison et je voudrais m'installer avec la femme de mon choix.

On dit que je suis beau garçon, bon amant, que je sais profiter de la vie mais que je travaille beaucoup trop. Depuis mon retour chez moi en Nouvelle Zélande, je suis sorti avec des Anglaises, des Allemandes et des filles du pays mais je trouve qu'elles ne s'intéressent qu'à l'argent, qu'elles sont égoïstes et qu'on ne peut pas leur faire confiance. en un mot, elles ne correspondent pas à ce que je recherche.

Il y a encore peu, j'étais dans l'armée en poste en Thaï lande. J'ai trouvé les femmes belles, attirantes et dignes de confiance, exactement ce que je recherche.

Je voudrais me marier avec une belle femme, ayant de la classe, une femme qui fait la tourner la tête des hommes, qui sache comment s'habiller et se comporter en société. Quelqu'un qui s'occupe des problèmes domestiques, du personnel en mon absence. Une personne capable de me seconder dans mes affaires, de me remplacer parfois. Je recherche avant tout une femme sur qui je puisse compter. C'est un point essentiel dans un monde où la confiance dans autrui a disparu. Je tiens à vous prévenir que je cherche la mère de mes enfants mais aussi une partenaire sexuelle. Les femmes ici me paraissent trop timorées sexuellement et j'avoue que j'ai du mal à être satisfait compte tenu de mon désir et de ma taille (j'ai un énorme pénis).

J'aimerai que vous examiniez mes critères point par point. Sachez que je vais essayer de venir à Bangkok (dès que mes affaires seront réglées ici). J'apprécierai que vous me fassiez parvenir votre réponse dans laquelle vous me décrirez ce que vous attendez de la vie. Racontez-moi votre histoire en quelques mots et joignez-y plusieurs photographies (dont une toute nue si possible) pour que je puisse me faire une idée de ce à quoi vous ressemblez! Une cassette vidéo est également la bienvenue.

Si vous pouviez également me fournir des détails concernant vos études et vos parents. J'ai l'intention d'embaucher une femme de ménage thaïlandaise, cela peut peut-être intéresser l'une de vos amies cherchant un travail à l'étranger. J'ai besoin là aussi d'un bref historique et de photos avant d'envisager une embauche.

J'attends de vos nouvelles.

C'est une belle jeune femme de 23 ans, petite, le regard dur et pourtant elle semble au bord des larmes de temps à autre. Pendant tout l'entretien, elle tripote avec ses mains manucurées l'emballage en cellophane de son paquet de cigarettes.

Je commence travailler à Patpong il y a quatre ans. Flash Bar. Je tombe amoureuse de farang deux fois. Première fois Néo Zélandais. Lui avec moi pendant un an. On casse parce qu'il m'envoie à l'école pour apprendre la coiffure et il me fait pas confiance. Je ne sais pas ce qu'il veut. Je ne sais pas pourquoi il repart. Il me fait pas confiance pour l'argent. Il me fait pas confiance pour l'école. Il croit que je travaille encore Patpong. Il y a deux ans, le garçon nouvelle-zélandais, il m'apprend à être forte, à rester toute seule. Lui bien. Aujourd'hui, j'aime un Danemark depuis un an. Encore amoureux tous les deux parce qu'il dit: «tu n'as pas à bosser dans ce quartier pourri». Des fois j'ai rien à faire alors je dois aller dans les bars et c'est pourquoi on se bat, on se bat tout le temps. Parce que lui parfois trop jaloux, trop ennuyeux. Je sors parler avec copine et j'aime être avec copine plus qu'avec lui. L'homme Danemark parfois ennuyeux. Parfois bien.

Pourquoi es-tu devenue une fille de bars ?

Au début parce que moi avec petit ami thaïlandais et avoir un bébé. Moi travailler 70 bahts par jour, travailler 12 heures. Fabriquer des ceintures, fabriquer des boucles d'oreilles, fabriquer des briquets, fabriquer n'importe quoi pour une société à Bangkok. Je viens Patpong parce qu'on me dit argent ici. Je peux améliorer ma maison. Je veux vie meilleure.

Pas assez d'argent chez nous. Je savais pas comment faire avec pilule pour pas tomber enceinte.

Pourquoi y a-t-il tant de filles de bars en Thaïlande ?

Si petit copain thaïlandais est bien et s'occupe bien de la fille, il n'y a pas plein de prostituées en Thaïlande. Mais ils ont le bébé et s'en foutent, pas de mariage. C'est pour ça il y a des prostituées. Et puis personne veut marier la fille si elle pas vierge. C'est pour ça qu'elles deviennent prostituées. J'ai beaucoup d'amies comme moi. Petit ami thaïlandais travaille dur, trouve pas d'argent pour s'occuper du bébé. C'est aussi un problème d'argent.

Est-ce que les filles de bars gagnent bien leur vie ?

Si prend pas came, boit pas, a pas petit ami Thaïlandais à s'occuper, ça va.

Pourquoi as-tu essayé de te suicider ?

Quand petit ami hurle, veux qu'il dise: «pardon». J'essaie deux fois. Avec couteau et une fois avec ciseaux. Première fois il y a deux ans et demi parce que j'ai un problème avec mon petit copain. On sort boire une verre à Patpong. Des gens me parlent. J'aime bien discuter avec les gens. Alors, on se bat. Jaloux, c'est tout ! Un autre petit ami me téléphone, alors il me fait pas confiance. C'est stupide. Parfois, je rentre tard quand je vais au cours d'anglais.

J'essaie de me suicider deuxième fois, l'année dernière, parce que ça fait quatre mois que mon petit ami part en Europe. Il me raconte qu'il a pas le téléphone chez lui. Un soir, je suis saoule à Patpong. J'ai envie de lui parler. Je me sens seule. Il me manque. Je n'ai pas le numéro de téléphone. Je téléphone à sa mère pour avoir son numéro. Puis j'appelle à son appartement. Une femme répond. Elle dit: «qui es-tu ?» J'ai dit à la fille farang: «Demande-lui. Il le sait très bien». Petit ami veut savoir comment je connais ce numéro de téléphone. Je dis que c'est sa mère qui m'a donné. Il dit qu'il me rappelle demain. Je dis: «Pourquoi tu me parles pas maintenant ? A cause de la femme ? Dis-moi la vérité ?» Le lendemain, il téléphone. On s'engueule. Avant, il m'a dit qu'il arrive. Au téléphone, il dit encore un mois et demi. Il explique il a pas fini le travail. Je réponds: «et au sujet de la femme ?» Il me raconte que la fille est danoise et a pas d'endroit pour vivre, elle dort par terre. 50% je crois, 40%, je crois pas. Je me sens très seule. Pas eu d'homme depuis quatre mois. Femmes sont pareilles que les hommes. Je vais à Koh Samui, rencontre un homme. Bien. Le petit ami Danemark revient. On s'engueule. Je lui dis je l'aime mais je me sens seule c'est pour ça que je fais ça. Après il me parle plus, m'embrasse plus, me regarde même plus pendant presque une semaine. Alors je me coupe le bras, parce qu'il me croit pas. J'essaie de me suicider parce que personne me fait confiance.

Vas-tu encore tenter de te suicider ?

Je ne crois pas parce que je pense à ma fille. Si je meurs qui s'occupe d'elle ? Elle quatre ans et demi.

Quel est ton avenir ?

J'ai deux petits amis aujourd'hui. Le garçon Danemark me dit jamais il veut s'occuper de moi pour la vie. L'Australien, il dit qu'il veut s'occuper de moi toute la vie. Il s'inquiète aussi pour ma fille. Je suis pas amoureuse du petit ami australien. Seulement des amis. J'aime vraiment le garçon Danemark.

Pourquoi certaines filles se droguent-elles ?

Tu veux la vérité ? C'est parce que les gens veulent avoir du bon temps au lit. Les touristes aiment ça. Ils ont de l'argent. Ils disent: «allez viens on va s'amuser tous les deux.» La fille sait pas ce que c'est. Je bois et je fume la ganja parce qu'on va en boîte pour rencontrer des gens.

Quels conseils donnerais-tu à une fille qui envisage de devenir fille de bars ?

Il y a plein de filles qui viennent du Nord de la Thaï lande, elles ont le coeur brisé parce que c'est fini avec leur petit copain thaïlandais, elles me demandent: «Par-le-moi des farangs ? Comment je peux avoir ? Je veux avoir le même que toi, aller dans un autre pays. Avoir de l'or, une maison, plein d'argent à la banque, des beaux habits, acheter des cadeaux pour les parents». Elles voient des filles qui sont plus riches qu'elles. Elles me disent: «Pourquoi ? Comment elles font ?» Je réponds: «Allez, oublie ça. C'est pas marrant. Il y a le Sida en Thaïlande maintenant. Les gens méprisent les filles de bars. Des filles ont parfois la chance de rencontrer un homme qui s'occupent d'elles. Mais t'es pas sûre de trouver un homme comme ça, alors il faut que tu couches à gauche, à droite. Parfois le mec est dégueulasse, et il faut baiser avec lui.

Connais-tu des filles de bars qui ont épousé des é trangers ?

Onze de mes copines qui travaillent dans le même bar arrêtent de travailler et se marient avec farangs. Hollande. Angleterre. Allemagne. Danemark aussi.

À quoi penses-tu quand tu fais l'amour avec un client qui ne te plaît pas ?

Je pense comment être forte. Quoi à payer demain, quoi manger demain, quel argent envoyer à mes parents.

Est-ce que tes parents savent ce que tu fais ?

Ma mère, elle sait. Mon père, il sait pas parce qu'il demande pas. Je viens avec deux petits copains déjà chez mes parents. J'ai dit à ma mère. Comme je lui envoie de l'argent, elle me demande: «Où tu trouves l'argent ?» Je lui dis la vérité. Elle dit: «Si tu aimes ça, tu ne penses pas à ton avenir». Elle dit: «Fais attention à toi, ne prends pas de drogues.» Elle dit: «Viens à la maison. C'est mieux». Ma mère aime pas le premier petit copain. Nouvelle Zélande. Elle aime bien Danemark. Il a aidé à faire la cuisine, la vaisselle, à chercher l'eau à la rivière. Beau garçon, bien, poli, calme.

Pourquoi tant d'Occidentaux aiment les filles de bars thaïlandaises ?

Ils aiment la peau bronzée et les cheveux bruns. Beaucoup de filles farangs deviennent grosses après mariage. Thaïlandaises différentes des farangs. Les Européennes sont prostituées pour acheter la drogue. Les Thaïlandaises sont prostituées pour s'occuper de la famille.

Comment est la vie lorsque l'on a un petit ami qui vit à l'étranger ?

Parfois, c'est long d'attendre, toujours attendre ces garçons. On sait pas quand ils reviennent ou s'ils changent. Et on perd du temps. Je déteste quand les gens partent puis reviennent. J'aime bien parler avec des personnes âgées, d'Angleterre, parce qu'ils connaissent de bonnes histoires, des choses que j'entends jamais.

Comment vas-tu décider avec lequel de tes deux petits amis tu vas rester ?

Je dois attendre. Aujourd'hui je joue un jeu, un jeu double avec deux petits copains. Un des deux doit me montrer qu'il aime moi et ma fille.

Chérie,

Comment va la vie ? J'espère que tu prends toujours tes cours de coiffure et que tu vas venir en Australie et en Nouvelle Zélande pour monter une affaire.

Je sais que ta vie n'a pas été facile quand tu travaillais dans ces clubs mais tu as une chance à saisir maintenant. Tu trouveras peut-être un Européen qui voudra t'épouser et te donner tout le confort et l'amour d'une relation durable, loin des liaisons sans lendemain.

Tente ta chance chérie, il y a des homme qui veulent autre chose que des liaisons éphémères, il y a des hommes qui recherchent l'amour de leur vie chez les superbes filles asiatiques. C'est ce que Floyd recherche, une femme et des enfants asiatiques. Tu es belle ma chérie, sers t'en pour faire des choses biens.

Si tu veux, je pourrais trouver quelqu'un qui t'épouserait. C'est comme tu veux mais je suis certain que tu aimerais vivre ici.

Réponds-moi s'il te plaît, je pense que tu es toujours aussi généreuse chérie alors je t'en prie sois honnête avec moi et reste en contact. On se reverra bientôt.

Mon cher petit singe,

Comment vas-tu ? Moi ça va. Je t'écris pour deux raisons. La première, c'est parce que je t'aime bien et je veux qu'on reste en contact pour que je puisse te revoir la prochaine fois que je viens en Thaïlande, enfin seulement si tu le veux aussi, bien entendu. L'autre raison, c'est que je te dois 300 bahts. Je suis vraiment confus de ne pas être venu te voir (et te payer avant de partir), mais figure-toi que lorsque je suis retourné dans ma chambre, j'ai trouvé mon copain qui venait de se faire poignarder dans le dos par une Thaïlandaise sur Sukhumvit. Il souffrait vraiment beaucoup, il ne se sentait vraiment pas bien à cause des médicaments contre la douleur qu'il avait avalés et avait de la fièvre. Je t'enverrais cet argent, je te le promets, mais seulement si tu le désires, c'est comme tu veux. Car je ne suis pas certain que ce soit la bonne adresse. Tu ne me l'as pas donnée, peut-être parce que tu ne voulais pas me revoir. Ha ! Ha ! Bref, si tu m'envoies un mot pour me dire que tu as bien reçu cette lettre et que tu me donnes l'adresse, je t'enverrai l'argent dans mon prochain courrier.

Je sais que tu penses que je suis un sacré papillon et tu as raison, je suis peut-être le plus grand papillon que tu n'aies jamais rencontré, mais je ne peux pas m'en empêcher. Tu as quand même quelque chose de particulier. Je t'aime vraiment beaucoup tout en sachant que tu peux être nulle parfois. En tous les cas, papillon ou pas, on est pareil, la seule différence entre nous c'est que moi je paie et que toi, tu es payée. Je sais que tu penses aussi que je suis un peu dingue. Tu as peut-être raison, mais je suis comme ça. J'espère avoir de tes nouvelles bientôt. Je te promets de t'envoyer l'argent mais tu dois répondre à cette lettre. Marché conclu ? Promets-moi de faire attention et de ne pas sortirr avec des enfoirés qui te frappent ou te font des tas de trucs bizarres. Salue ta soeur de ma part si tu la vois. Sois prudente. Je t'envoie plein de baisers.

Chérie,

J'aimerais tellement être à Bangkok et pas en France. C'est un GROS problème qui n'a pas de solution pour le moment....

Je travaille de nouveau dans ma pépinière entre les arbres et les orchidées. Je travaille en rêvant. Il vaudrait mieux que je travaille et que je rêve après.

Je pense très souvent à ce que tu m'as dit dans ce tuk tuk un soir près de chez toi. «Demain c'est fini». Je n'arrive pas à savoir si tu parlais sérieusement ou si c'est juste pour avoir la paix et te mettre ton mouchoir sur le visage.

Je ne désire qu'une seule chose: revenir en Thaïlande et cette envie n'est pas prêt de passer.
Voilà mon rêve: prendre un avion aujourd'hui et venir te voir demain.

Chérie, tu es comme un rêve et j'aime ce rêve.

Essaie de trouver la cassette de Johnny Clegg. Il était numéro un en France en 1987 et je ne l'ai jamais entendu à Bangkok.

Chérie,

Comment vas-tu ?

Je t'ai envoyé des lettres après mon départ de Bangkok, mais tu n'y as jamais répondu !!! En tous les cas, j'espère que tu recevras celle-ci. Essaie d'y répondre. Ce n'est pas par hasard que je t'ai rencontrée. C'est que je devais te rencontrer. Tu es mon ciel bleu, mon arc en ciel. Tu es celle qui m'ouvre les yeux. J'ai compris et je sais à présent qui tu es.

A bientôt !

Ne m'oublie pas !

A bientôt !

P.S.: Envoie moi une photo de toi si tu veux. Merci.

Salut ma petite Thaïlandaise ! Comment vas-tu ?

C'est impossible de te dire combien tes lettres m'ont rendu heureux. Je sais à présent combien ton amour est beau. Tu me donnes tellement de sentiments. Tu touches mon coeur si doucement et si profondément. Je ne peux pas te décrire à quel point mon âme est satisfaite. Je sais maintenant pourquoi je t'aime tant, je suis sûr que je n'avais jamais ressenti autant d'amour dans ma vie et je n'avais jamais eu de petite amie aussi excitante que toi ma chérie.

Oh, ma chérie, je ne peux pas te rendre tout l'amour que tu me donnes. Je ne peux pas puiser aussi profond que toi dans mon coeur. Mon amour ne sera jamais aussi beau que le tien. Oh c'est vrai, ma chérie, je suis si heureux de connaître le grand amour grâce à toi.

Je voudrais pouvoir continuer à écrire comme ça ma chérie, mais c'est impossible parce que tu ne me laisses pas le faire. Je peux te raconter mon coeur. Je peux te raconter mon âme. Mais je crois que ça ne t'intéresse pas. Je crois que tu n'aimes pas les histoires d'amour. J'ai essayé de te téléphoner plusieurs fois. Au matin de ton anniversaire, j'ai attendu un quart d'heure sans pouvoir parler à mon amour, et il y a deux jours, j'ai encore patienté 15 minutes avant qu'une Thaïlandaise me dise: «chérie travaille». Alors j'ai pensé, oh mon Dieu, «travaille», c'est-à-dire, baise quelque part dans Bangkok ! Je me suis senti tellement mal que j'ai pleuré pour mon bel amour.

Chérie, j'ai réfléchi et j'ai compris que tu préférais écarter les cuisses plutôt que d'apprendre l'alphabet anglais. Chérie, j'ai compris aussi que tu préférais écarter les cuisses plutôt que de m'écrire. Mon coeur pleure, chérie, dis-moi ce que je peux faire ?

Je ne sais toujours pas si mon argent est arrivé à ta banque. Je ne sais pas non plus ce que tu penses de mes lettres. Je ne sais pas si oui ou non il y a de l'amour en toi ? Mais ce que je sais, c'est que tu couches pour de l'argent. C'est vraiment lassant et sale. Je pense que tu ne peux pas tirer de satisfaction pour ton âme quand tu fais ça, mais peut-être que je me trompe. Je t'en prie, ne laisse pas cette question sans réponse, réponds-moi. Peut-être que tu ne le sais pas et je veux que tu y penses à chaque fois que tu couches avec un type et je veux que tu penses à moi, aussi.

Mon âme souffre beaucoup de savoir que tu baises. Je vois que tu parles beaucoup et que tu n'utilises pas ta tête parce que tu es trop paresseuse. Tu sais que tu n'as pas besoin de faire fonctionner ta tête pour baiser mais un jour tu devras apprendre à l'utiliser, mon amour. Oh je sais que tu es endormie car lorsque je te demandais de me regarder dans les yeux, quand on était ensemble, tu ne pouvais pas. Je ne perds jamais mon temps avec les endormis. Tu te souviens qu'à Koh Samui je t'ai acheté un billet pour Bangkok parce que les gens comme toi ne peuvent pas donner d'amour, mais mon coeur m'a dit que je pouvais peut-être essayer de te réveiller, chérie. Je pense venir bientôt en vacances à Bangkok. On pourrait peut-être se revoir mais si tu ne veux pas, ce n'est pas un problème pour moi. Je peux rester seul en Thaïlande et me balader sans toi. Je crois bien que c'est la dernière fois que je dévoilerai mes sentiments à une fille dont je tombe amoureux. Si tu ne réponds pas, ça sera la dernière fois que je te demanderai de m'aimer. J'essaie de te dire combien je t'aime mais tu ne peux pas ressentir cet amour.

Au revoir, mon amour endormi et amuse-toi bien à Bangkok.

Adorable chérie,

Pourquoi sommes-nous séparés ?

Les milliers de kilomètres qui nous séparent compliquent tellement les choses !

Si tu savais combien d'heures j'ai dû consacrer aujourd'hui à un banal problème de transfert entre ma banque et la tienne ! Après plusieurs coups de fil, ma banque a confirmé que l'argent que je t'ai envoyé a bel et bien été transféré à la Bangkok Bank en Thaïlande.

Il doit y avoir un problème quelque part entre le siège de la Bangkok Bank et l'agence où tu as un compte. Je vais aller à la poste ce soir pour t'envoyer un facsimilé du certificat de transfert.

De ton côté, tu n'auras qu'à présenter ce certificat à ta banque et exiger que l'on crédite ton compte: la Bangkok Bank a officiellement reçu cet argent et tu en es l'unique bénéficiaire !

J'espère sincèrement que cette histoire sera réglée lorsque tu liras ces lignes car je n'ai aucune envie que des problèmes aussi terre-à-terre puissent exister entre nous. Nos vies sont déjà suffisamment compliquées comme ça ! Tu n'imagines pas combien je DÉTESTE l'argent ! Pourquoi l'argent vient-il toujours s'immiscer entre les gens, quand l'essentiel est l'amour et le désir d'être ensemble ?

J'ai rêvé de toi cette nuit après ton coup de fil. C'était le rêve le plus délicieux qui soit: nous nous trouvions dans une grande soirée et tu faisais la connaissance de mes amis français. Tout le monde s'amusait. Tout était calme... Puis, je me suis réveillé, en France, pour une nouvelle journée froide et pluvieuse.

Ce n'était qu'un rêve, mais je suis certain qu'il se réalisera et que cette grande soirée, avec tous mes amis réunis pour te rencontrer, aura lieu d'ici peu.

J'ai dîné avec eux jeudi soir. On a parlé de toi et ils m'ont chargé de te transmettre leur amitié. Mon amour adoré, j'espère bientôt recevoir une lettre de toi qui illuminera ma journée. Il n'y a pas de mots pour dire combien je t'aime et j'attends avec impatience le jour de nos retrouvailles. Je garde un oeil sur cette histoire de transfert entre la France et la Thaïlande. Ne te fais pas de soucis, je ne te laisserai pas tomber.

Prends bien soin de ta personne et n'oublie pas, s'il te plaît, ce farang, là-bas, si loin de la Thaïlande, qui pense à toi à chaque seconde.

Des tonnes d'amour.

Chérie,

J'écris suite à ton annonce parue dans Affaires et Ventes.

Je vais commencer par me présenter: j'ai 39 ans, mesure 1m79 et pèse 85,5 kilos, tout en muscles. Je suis chef d'entreprise, ici en Nouvelle-Zélande et comme je pense qu'il reste toujours quelque chose à faire, je crois bien que je travaille 7/7 jours la plupart du temps.

Je m'intéresse à beaucoup de choses, comme la pêche, la randonnée, la lecture, la musique, les voyages, etc. Je collectionne les tableaux et les cuillères.

J'ai décidé de me rendre en Thaïlande mais je voudrais attendre d'avoir un ami sur place avant devenir, pour qu'il puisse me montrer le pays. J'ai déjà mis une annonce dans des journaux de Bangkok mais la seule réponse que j'ai obtenue est celle d'un homosexuel. Même si je suis facile à vivre et très ouvert, je dois avouer que je ne suis pas du tout attiré par les homosexuels.

Je cherche simplement à visiter la Thaïlande parce que ce pays m'a toujours fasciné.

Je serais heureux d'avoir une réponse chérie et que cela puisse déboucher sur une amitié durable. En attendant, mes sentiments dévoués.

❧❧❧

Chérie,

J'espère que tu arrives à me lire et je suis désolé de ne pas écrire thaï. J'espère aussi que ma lettre arrivera à bon port. Ça fait cinq jours aujourd'hui qu'on s'est quitté. Je me rappelle parfaitement de chaque instant passé ensemble. Je m'inquiète beaucoup pour toi. Je t'en supplie, fais attention aux maladies! Je t'aime, je voudrais que tu sois heureuse et que tu vives longtemps. Je pense à toi tout le temps, et la nuit j'ai parfois envie de pleurer quand je t'imagine en train de travailler. Fais bien attention aux types que tu choisis.

Je voudrais que ce soit moi. Tu es mon grand amour, je ne t'oublierai jamais, essaie de t'en souvenir et pense à moi de temps en temps. J'aimerais tellement être à tes côtés ! Je suis dingue de toi chérie, tu es si belle ! Si charmante et si douce. Je veux que tu trouves de la force quand tu es triste et que tu aies confiance en l'avenir, que tu apprennes l'anglais et que, coûte que coûte, tu crois en Bouddha.

Écoutes-tu parfois «Stay» de Jackson Brown ? Je me souviens que tu l'avais chanté et maintenant, quand je l'écoute ici, je te vois avec tes beaux cheveux longs, tes yeux noirs et ta peau si douce... Tu me séduis et tu m'attires tellement chérie. Écris-moi vite, je t'en prie, en utilisant l'enveloppe ci-jointe. Si tu pouvais me redonner ton numéro de compte, je vais t'enverrais de l'argent pour t'aider autant que je peux. Garde une petite place pour moi dans ton coeur. Je t'aime pour la vie.

P.S.: Peux-tu m'envoyer une photo, j'ai besoin de te voir.

C'est une petite femme tranquille de 23 ans, assez ordinaire. Elle est peut-être un peu nerveuse d'être interviewée mais elle répond volontiers aux questions.

Je travaille Patpong cinq ans. Boulot pas bon. J'aime pas ce boulot parce que je suis femme thaïlandaise et je pense que c'est pas bon pour une femme de coucher avec trop d'hommes. Avant, je suis amoureuse, mais il a une autre copine, une farang. Lui, de Belgique. Maintenant, fini. Aujourd'hui, être copains.

Est-ce que tu crois aux lettres d'amour que tu reçois ?

Non. Vraies à 20%. Des fois ils mentent, des fois non. Je crois que je le sens. On discute tous les deux à Bangkok, mais dans la lettre, c'est différent, la lettre est plus élevée, beaucoup plus qu'à Bangkok. C'est pas la vérité.

Qu'attends-tu de l'avenir ?

Je pense pas avenir. La vie, ça va pas trop mal. Un petit peu problèmes. Certains types agréables, d'autres pas. Y'a des types sympa, ils veulent s'amuser, ils veulent que je les distrais. Les hommes, 50% de jeu. J'aime bien voir celui de la Belgique. Juste regarder, parler, pas plus. Je sais qu'il peut pas donner plus. J'aime pas le farang qui me regarde de haut. Des fois, le farang passe et il dit: «Beeeeeeeeeerk ! Mauvaise fille !» Le farang est dingue parfois. Si tu dis la vérité, il te croit pas, si tu mens, il te croit !

En quelles vérités ne croient-ils pas ?

Comme toutes les femmes qui travaillent dans les bars, je fais le test du SIDA tous les jours à la clinique. Je connais un mec, Angleterre, il me dit: «pourquoi c'est si cher ? Avec une autre, c'est 100 bahts !» Je réponds: «d'accord, va avec la fille à 100 bahts ! Mais peut-être tu attrapes un truc, le SIDA !» Je lui dis: «Moi, c'est 2000 bahts. Avec 100 bahts, tu peux pas aller à la clinique, tu peux pas te payer les médicaments. Tu peux juste prendre un taxi !»

J'ai peur du SIDA. Je mets le préservatif. Quand un mec me dit: «j'en veux pas !» Moi, je dis: «alors moi, je peux pas !» Parfois, il dit d'accord, mais parfois il devient dingue, il enlève le présevatif si la femme regarde pas, il l'enlève ! Je dis: «non, je peux pas continuer !»

Est-ce que les filles mentent lorsqu'elles écrivent à leurs clients ?

Je sais elles disent (*elle prend une voix très haut perchée*): «Comment vas-tu ? Je t'aime ! Fais attention à toi ! Ne te tue pas au travail!». Moi, en tout cas, je dis 80% la vérité parce que j'aime pas dire des mensonges. J'écris: «amour» mais c'est pas vrai. J'aime jamais !

(Elle rit) Je mens. Je veux pas faire de peine, je sais pas, peut-être si je dis pas «amour», lui, il pense rien ! Je sais pas.

Est-ce que tu connais beaucoup de filles de bars qui ont épousé des étrangers ?

Trois de mes amies sont mariées à des farangs. Une bonne copine, elle revient en Thaïlande pour dire bonjour, ils sont heureux. Lui, s'occupe de tout. Il est de Hawaï. Ils vivent à Hawaï.

Quel genre d'ennuis as-tu avec tes clients ?

Un dingue, un Suisse, lui sadique, il veut me faire mal. Je dis: «fais pas ça !» Il demande ce que j'aime. Je réponds: «j'aime pas qu'on me tape.» Et puis c'est fini. Un type bien, il comprend. Il m'a dit: «les dames en Europe aiment les hommes qui leur font mal.» Moi, je sais pas mais je vois une photo dans son armoire. Ouuuuuuuuh !!!! Lui avec une dame. Il frappe avec une ceinture et elle a les mains attachées. Il a une grande cravache dans sa chambre. J'ai une autre copine, elle va avec un Coréen, il dit de se couper le bras, il veut regarder! Heureux voir du sang! Lui, Corée.

Chérie,

Je dois t'expliquer pourquoi je ne t'ai pas laissée entrer dans ma chambre (hier soir à Bangkok). Voici la vérité, chérie:

Quand tu m'as rendu visite et que tu m'as dit au revoir en m'embrassant, j'ai cru que c'était un adieu et que tu voulais que l'on arrête tous les deux. Je me suis mis à pleurer tellement j'avais mal. Je me sentais si seul. J'ai eu besoin de parler à quelqu'un. J'étais si faible et tellement malheureux! La seule personne à qui je pouvais parler était cette autre fille. Je pensais que tu étais partie pour toujours, alors je lui ai téléphoné et elle m'a proposé de venir chez moi pour me réconforter. Elle sait très bien que je t'aime. Elle a dormi dans mon lit mais JE NE LUI AI PAS fait l'amour. C'est une amie, pas une maîtresse.

Elle se trouvait dans ma chambre quand tu es arrivée, et j'ai voulu te le cacher car j'ai eu peur que tu crois que j'étais un papillon. C'est pourquoi je ne t'ai pas laissée entrer même si cela t'a rendu encore plus furieuse ! Et je t'ai dit que je t'écrirai et que je reviendrai en Thaïlande pour te voir. Je suis vraiment désolé parce que je voulais être avec toi cette nuit-là.

Elle est partie juste après et je suis rentré en Australie le coeur gros.

Tout est de ma faute, chérie, tu n'y es pour rien. Je te présente mes excuses, je suis sincèrement désolé.

Pardon.

Pardonne-moi, s'il te plaît.

Accepte ces choses que je t'ai offertes. Je t'en prie ne les jette pas. Demande à ta soeur de te faire une chemise avec le coton, je pense que cela t'ira à ravir.

JE REVIENS POUR TE VOIR

J'ai déjà réservé un billet pour Bangkok, je reviens POUR TE VOIR.

Viens me chercher à l'aéroport s'il te plaît.

Dis-moi ce que tu penses de moi. Est-ce que tu aimes mon corps ?

Est-ce que je suis trop vieux pour toi ? Est-ce que je te plais ?

Je veux savoir ce que tu ressens pour moi.

Si tu as décidé de ne plus me voir, dis-le moi.

❧❧❧

Bonjour chérie,

J'ai reçu il y a deux jours tes deux lettres (le même jour). Merci beaucoup, j'étais très heureux. J'espère qu'à l'heure qu'il est, tu as reçu la mienne. Quand j'ai lu ta première lettre, j'ai été un peu choqué. Tu me dis que la police t'a arrêtée au Malaysia hôtel (je n'ai pas tout bien compris, es-tu restée trois jours en PRISON OU

PAS, et as-tu payé une amende de 5000 bahts OU NON. DIS LE MOI, S'IL TE PLAÎT). Est-ce que tu as reçu l'argent que j'ai envoyé ? Mon ami va bientôt t'envoyer de l'argent. Je le lui ai demandé avant de partir et j'ai confiance en lui. Il va le faire.

Chérie, en ce qui concerne la descente de police au Malaysia Hotel. Tu sais très bien quel genre de métier tu fais. Beaucoup de gens du monde entier viennent en Thaïlande pour ça (tu vois ce que je veux dire). Et je pense que la police ne veut plus de ça! Je ne te demande rien mais fais bien attention. J'espère que tu é couteras mes conseils. Je sais que tu as rencontré des quantités d'hommes (en fait, il y en a peut-être beaucoup qui t'écrivent). Mais j'espère que tu ne m'oublieras pas car moi, je ne t'oublierai pas.

Moi, ça va. Je travaille depuis six semaines au Cambodge et j'aurai terminé dans quatre mois et demi. Je vois tous les jours beaucoup de blessés de guerre et ce n'est pas drôle. Quand je rentrerai à la maison, je m'arrêterai deux ou trois semaines en Thaïlande et je pourrai ainsi voir comment ça se passe pour ton visa. J'espère que tu pourras venir en Belgique.

Chérie, est-ce que tu as toujours ton petit lapin ? Tu l'as acheté juste avant que je m'en aille et j'étais en colère (tu te souviens.) Je sais que j'étais souvent en colè re mais c'est seulement parce que je m'en fais TROP pour toi.

Est-ce que tu partages toujours une chambre avec ton amie ou pas ? Est-ce que ta mère est toujours à Bangkok ? Quand tu la verras, dis-lui bonjour de ma part.

Dis également bonjour à tous les gens qui vivent autour de toi. Est-ce que ton amie a reçu les photos que je lui ai envoyées ? J'espère que oui, et qu'elles les a aimées.

C'est tout pour aujourd'hui, chérie. N'oublie pas que j'attends tes lettres. C'est la seule chose que j'attends ici. Sois prudente lorsque tu travailles et souviens-toi de tout ce que je t'ai dit. Je m'en fais beaucoup pour toi. Signe, s'il te plaît de ta main les lettres que tu envoies, tu sais que j'aime ça. Que dieu vous bénisse, toi, ta famille ainsi que tes amis.

Bonjour mon grand amour,

Comment vas-tu ?

Je ne sais pas quoi t'écrire, ma chérie, c'est si douloureux de ne pas pouvoir être avec toi. Tu es resplendissante de bonheur sur les photos que tu m'as envoyées. Pourquoi n'ai-je pas vu ce sourire quand j'étais avec toi ! Oui, bien sûr, je suis jaloux de tous ces hommes que tu rencontres. Il est certain qu'avant de te rencontrer je n'avais pas de problèmes dans la vie, mais tout a changé, je t'aime tellement! Je ne regarde même plus les filles ici en Allemagne parce que c'est toi et toi seul que veut mon coeur. Tout ce que je veux, chérie, c'est être avec toi et je ne me mettrais jamais en travers de ton chemin mais je suis bien obligé d'arrêter de trop écouter mon coeur. Je dois écouter ma tête aussi. Et ma tête me dit de faire attention, que cette fille ne s'intéresse peut-être qu'à mon argent et qu'elle ne veut de mon amour que pour obtenir assez d'argent et nourrir ses parents. Je suis triste d'avoir à te dire ça, ma chérie, mais j'ai l'impression que tu as fait semblant de m'aimer en Thaïlande et on n'est pas encore marié donc je n'ai pas à régler tous ces problèmes. Je pense qu'il y aura toujours des problèmes d'argent dans ta famille parce que ton père boit trop et qu'il ne ramène pas d'argent à la maison. Mon grand amour, ma chérie, si on se marie, je te donnerai de l'argent pour ta mère, bien entendu, mais j'espère que tu comprends que ce n'est pas possible pour le moment, chérie. Je veux que tu saches que je ne veux pas passer ma vie à chercher de l'argent. L'amour me suffit. Si je suis sûr que tu m'aimes et qu'on sera ensemble toute la vie, j'aurai toujours assez d'argent pour toi. N'oublie pas qu'à chaque fois que je veux te rendre heureuse ou que je prends soin de toi, c'est parce que je recherche le vrai amour. Je ne sais pas pourquoi mais je pense que tu as beaucoup d'amour en toi. Peut-être que tu désires vraiment me l'offrir. Je ne sais pas, mais tu peux être sûre que rien ne me rendrait plus heureux et que j'essaierais tout le temps de te le rendre. Je me sens mal, j'aimerais que tu sois à côté de moi mon amour.

Je t'en supplie, écris-moi encore... Ne laisse pas passer autant de temps à chaque fois avant de me répondre. j'ai besoin de preuves. Je veux pouvoir penser que tu vas faire un passeport et je ne veux pas que tu baises pour en faire un, je vais envoyer de l'argent pour ça. J'ai simplement pas le temps d'aller à la banque. La semaine prochaine, ce sera possible et je verserai sur ton compte l'argent pour le passeport.

Je dois te quitter maintenant mon amour. Il est tard et il faut que je dorme. Je te remercie pour les chouettes photos et ta belle lettre. Mon amour, je voudrais t'entendre dire que tu veux m'épouser à Bangkok. Je rêve! Je peux croire en ton amour parce que sans amour, on ne pourra plus avoir de moments merveilleux ensemble.

Tout ce que j'ai à te dire c'est ARRÊTE de baiser pour l'argent parce qu'il y a trop de Sida dans ce monde.

Je veux pas te voir mourir. Je veux t'aimer longtemps.

Avec tout mon amour.

Tu me manques.... Tu me manques.... tu me manques.... Tu me manques....

Dis-moi combien il te faut ?

❧❧❧

C'est une jolie fille de 21 ans, elle porte des bracelets en argent, de nombreuses bagues et une chemise blanche à rayures bleues, rentrée dans un vieux short gris.

Je travaille à Patpong un an et demi. Au Pink Panther et au Pussy Connection. Pas de problème pour moi de danser en bikini. Mais j'aime pas danser sans bikini. Timide. Le regard des hommes, j'aime pas. Beaucoup regardent mon minou. Avant je voyage en Suède. Je reste seulement un mois en Suède. Je veux rester plus longtemps, mais c'est pas possible. Là-bas, je fais la cuisine thaie, le ménage, repasse les vêtements. Je regarde la télé parfois mais je comprends rien ou un tout petit peu. Je sors pour marcher, regarder, jamais plus 30 minutes et reviens dans la chambre.

Comment se passe ton travail dans les rues de Patpong ?

Parfois bien. Parfois pas bien. Parfois pour s'amuser, parfois pour l'amour. Je reste un mois avec le même homme. Je l'aime. Jamais, je l'oublie. Lui, il part et il m'oublie. Qu'est-ce que je peux faire ? Peut-être dix personnes m'écrivent des lettres. Un seul homme envoie de l'argent chaque mois pour m'aider. Un Norvégien. Les autres lettres, c'est de la merde ! De partout les hommes écrivent, ils m'aiment, veulent me revoir, mais je vois jamais d'argent à la banque. Ils disent seulement: «t'aime, t'aime, t'aime, t'aime, t'aime». C'est pas vrai. Farangs racontent partout: «j'ai-me une Thaïlandaise. Très belle. Vraiment très belle». C'est de la merde. Parfois, moi j'écris: «Je veux pas travailler à Patpong. Je veux que tu m'envoies de l'argent à la banque et je t'attends». J'écris: «je suis heureuse avec toi». D'autres fois, je dis à l'homme que je l'aime . Le farang dit: «tu viens avec moi». Je ré-ponds: «Combien tu me donnes ?» Il dit: «Combien tu veux ?». Je dis: «2000 bahts, 1500 bahts.» Quand je suis amoureuse, je reste avec le même homme et c'est gratuit. Parfois j'aime pas mais je peux pas rester seule. Je gagne 3000 à 4000 bahts par mois dans le bar. Si je fais autre chose, travailler dans une boutique, je gagne peut-être 800 bahts par mois. Souvent dans le bar je travaille que deux jours, le lundi et le vendredi. Parfois j'ai pas d'argent, le farang demande: «C'est gratuit ?» Je dis: «Va te faire foutre, c'est pas gratuit».

Pourquoi les hommes t'écrivent-ils des lettres ?

Je ne sais pas pourquoi ils écrivent. Parfois, c'est des conneries. Parfois, j'écris une lettre à un homme, il répond pas. Je pense ils écrivent pour s'amuser. Ils écrivent pour le sexe. Certaines filles pensent que les lettres, c'est de la connerie. Mais d'autres pensent le farang les aiment. Moi je pense que le farang vient en Thaïlande seulement pour baiser pendant ses vacances. Il aime bien les Thaïlandaises parce que très belles, bon coeur, font bien l'amour et s'occupent bien de lui. Je pense que c'est différent des femmes farangs. Elles s'occupent pas bien de lui, elles pensent à elles-mêmes ou alors elles sont papillons.

Est-ce que tu vois des différences de comportements selon la nationalité de tes clients ?

J'aime pas Japon. Sadique ! Me frappe très fort et me mord, me mord comme un chien. Je pense Japonais un sadique. Un autre, Europe, bien, prend une douche avec moi.

Quels conseils donnerais-tu à une jeune fille qui envisage de devenir fille de bars ?

Moi je dis que c'est comme elle veut. Si elle veut travailler, elle travaille. Au début, je travaille à Patpong comme serveuse. J'avais 19 ans. J'avais un petit ami thaïlandais et un bébé. Quand bébé arrive, je vais travailler à Patpong comme serveuse et puis après je danse au Pussy Bar. La première fois je vais avec farang je sais pas d'où il vient. J'ai peur la première fois. Je pense que c'est peut-être mal. Je pense qu'à l'argent. L'argent pour le bébé. 1000 bahts. Après, ça va. Juste une passe avec farang.

Qu'est-ce qui a changé dans ta vie depuis que tu travailles avec des étrangers ?

Je ne parle pas anglais avant. Je peux seulement dire: «Merci», «Donne-moi l'argent», «J'ai faim» et «Je rentre chez moi». Maintenant je parle un petit peu suédois, allemand, français, italien, anglais. Suis heureuse parfois. J'aime Norvégien. Il va Philippines. Je crois il est Singapour maintenant. Après, il rentre en Norvège et il envoie de l'argent. Je le connais que deux mois. Il paie beaucoup. Je veux chemise, il achète chemise. Je veux jean, il achète jean. Je veux appareil photos, il achète appareil photos. Il m'a aussi acheté un radio cassettes énorme! Il donne 6000 bahts et il va aux Philippines. Il dit: «Je veux que tu arrêtes de faire la pute pour farangs. Je veux être avec toi et bébé.» Bébé, un an et huit mois. Et il envoie argent à la banque. Maintenant, je l'attends. Il dit, il rentre et il envoie 10000 bahts. Il revient l'année prochaine et il veut m'emmener en Norvège. Je veux rencontrer des gens qui m'aiment pour autre chose que baiser et s'amuser. Je veux quelqu'un qui s'occupe de moi. Je crois qu'il m'aime bien parfois il dit: «je t'aime bien», jamais «je t'aime» et je dis: «je t'aime bien», jamais «je t'aime».

Es-tu déjà tombée amoureuse d'un étranger ?

Seulement une fois. Coeur brisé. Un Anglais. Au début, il m'aime bien et moi aussi. On reste ensemble un mois. Je retourne Patpong pour travailler. Je le vois partir avec ma copine pour baiser. Ils sont mariés aujourd'hui.

Quelles différences vois-tu entre les Thaïlandaises et les étrangères ?

Je pense que les femmes farangs détestent les Thaïlandaises. Norvège, il raconte sa petite amie farang couche avec son frère quand lui va travailler deux ou trois mois. Les farangs méprisent les Thaïlandaises. Très méchantes. Je sais pas pourquoi, jalouses peut-être. Parce que les hommes farangs couchent avec Thaïlandaises et pas avec femmes farangs.

Que font tes parents ?

Mon père et ma mère vendent la nourriture, poulet, oeufs et légumes. Pas fâchés contre moi. Pas de problèmes. Je donne l'argent de temps en temps. Ils travaillent pas maintenant. Je donne chaque mois peut-être 2000, peut-être 1000 bahts. Je me fais trop de soucis si je n'ai pas d'argent.

Est-ce que tu as peur du Sida ?

J'ai vraiment peur du Sida tu sais. J'utilise des préservatifs tous les jours. Je dis «Pas de préservatif, je couche pas avec toi, je rentre à la maison. Je baise que si tu mets le préservatif». Une fois, je mets pas de préservatif avec petit ami suédois, j'ai très peur.

Ma chérie,

Je ferai toujours ce qui te fait plaisir. Si tu penses que tu es plus heureuse en Thaïlande, ça me rend triste mais je ne dirais rien. Si tu changes d'avis et si tu penses être plus heureuse en Allemagne, tu seras toujours accueillie comme ma femme.

Tu sais que mon amour est infini. Tu es pour moi plus qu'une femme ordinaire. Tu es ma femme, ma petite fille gâtée et la mère de notre enfant, bien que nous avons été stupides de nous séparer de ce beau bébé.

J'ai l'impression que tu veux te séparer de moi. Si ça te rend heureuse, très bien! Peut-être que t'éloigner de moi te rendra malheureuse. En tous les cas, ce serait trop bête pour nous deux.

Je vais bientôt revenir en Thaïlande. Ce sera la dernière que je viendrai pour toi. J'ai dépensé beaucoup d'argent la dernière fois et je suis venu pour rien. Ce sera bientôt notre dernière chance de nous retrouver. Moi, je répéterai toujours la même chose: je t'aime plus qu'aucune autre femme et tu me manques jour et nuit.

Si tu veux me quitter, ta famille me manquera aussi. J'aime bien tes parents, tes trois soeurs et tes deux frères. J'ai toujours considéré que c'était aussi ma famille.

Mais bien sûr c'est toi qui compte le plus.

Ça fait un an aujourd'hui qu'on s'est marié. C'était un événement très important pour moi parce que nous nous sommes mariés en présence de ta famille et de la mienne, mais surtout ça s'est passé devant ton dieu et le mien. Je pensais que nous étions unis pour toute la vie.

Malgré tout, je ne t'en veux pas. Tu peux me croire, chérie. Je souhaite seulement que tu sois heureuse.

Ces derniers temps, je pense souvent à cette période, tu te souviens quand on a fait une petite fête pour Noël. C'était des moments de bonheur pour moi parce que je pensais que tu avais notre bébé dans ton ventre. J'ai toujours pensé que si on avait un enfant, tu ne te séparerais jamais de moi. J'aimais très fort notre bébé, mais peut-être que je suis trop bête.

❧❧❧

Bonjour ma chère,

Comment ça va ? Bien, j'espère. Ça fait déjà trois semaines que j'ai repris le travail.

Je suis chez moi que le week-end à cause de mon travail. Si tu veux me téléphoner, appelle le dimanche. Pendant que j'étais au travail, ma femme a intercepté ta lettre, mais tu sais que j'ai quitté ma femme. Je ne pense qu'à te revoir parce que je t'aime. Je cherche un nouvel appartement pour que tu viennes me voir en Allemagne. J'espère que tu vas faire un passeport et tout ce qu'il faut pour quitter le pays. Si tu veux me rejoindre, envoie moi ton nom et ton adresse complète, je t'enverrai un billet.

Tu peux venir dès que j'ai un appartement (dans un mois et demi au plus tard).

Si je quitte ma femme, je dois payer une pension pour mes trois enfants. Il y aura moins d'argent pour nous. Mais ça ira quand même !

Si tu ne viens pas, on devra attendre janvier avant que je puisse venir en Thaïlande. Tu me manques énormément et je prie intérieurement pour que tu viennes. Je pense que tu as déjà reçu ma première lettre. Je n'étais vraiment pas en forme à ce moment là. Mon ami traduit cette lettre en anglais. Je ne peux pas toutes les traduire en anglais parce que mon ami habite loin d'ici.

Ma chérie adorée,

Comment vas-tu «chérie» ?

D'abord, je dois te dire pardon. Parce que je ne t'ai pas écrit plus vite.

Tu sais combien je suis occupé par mon travail. Je me souviens que tu m'as dit: «tu dois garder un peu de ton temps pour toi». Je suis d'accord avec toi. Quand je suis rentré au Japon, je veux faire ça, consacrer du temps à moi-même. Mais jusqu'à maintenant, je n'ai pas réussi.

J'espère que tu n'as pas pensé que je t'avais oubliée. Je ne t'oublierai jamais, avec ton sourire charmant et exotique et tes gentilles attentions.

Je veux te voir le plus vite possible. Je veux te prendre dans mes bras.

Je t'ai dit la dernière fois que je devais revenir en Thaïlande. Je sais maintenant que ce sera le mois prochain. Je pourrai prendre quatre jours de vacances avec toi. S'il te plaît, réserve du temps pour moi.

Je vais à Hong Kong, Kuala Lumpur et en Thaïlande. Après la Thaïlande, je vais à Manille et à Taipeh.

Pourrais-tu m'envoyer une lettre ? J'attends une lettre de toi.

J'ai des photos de toi que je t'apporterai. Je t'appellerai à Bangkok et on ira quelque part en Thaïlande.

Merci et au revoir !

P.S.: j'étudie le thaï maintenant. Je veux qu'on puisse parler tous les deux. Je veux mieux te connaître. A bientôt !!

T'en fais pas, je te promets d'être bientôt à tes côtés. Ma chérie adorée, j'oublie pas ma promesse de t'offrir un kimono ou un yukata. Mais c'est l'hiver au Japon et il n'y a pas de yukata.

Attends l'été s'il te plaît.

Merci. J'espère avoir une gentille lettre de Bangkok. MERCI ET AU REVOIR.

Elle a les traits marqués, des lèvres fines et un visage triangulaire. Elle porte un anneau en argent à chaque oreille. Elle rit fréquemment, roulant parfois des yeux pour insister sur quelque chose.

J'ai 31 ans. Trois ans je travaille. Farangs si différents Thaïlandais. Le farang fait mieux l'amour ! Ouais ! (*Elle rit*) J'ai un petit ami en ce moment. Danois. Baise vraiment bien! (*Rires*)

Je l'aime. Le Thaïlandais, il se couche et il jouit tout de suite. Jamais choses romantiques.

Deux ans je connais Danois. Je l'aime parce que lui, très bon ici, dans coeur et bon dans cerveau. Je le connais maintenant. Quand on est ensemble, toujours il fait bonne nourriture, jamais jaloux. Genre libre. Et il dit il m'aime. Il a trois petites copines, des Danoises, mais il n’en veut plus. Il me dit pas des conneries. Il me dit: «Je crois que j'aime mieux Thaïlandaises, les Danoises, toujours comme ça (*elle lève le nez*) très très jalouses». Il déteste ça. Il aime bien mon style. C'est pour ça, il m'aime et que, (*elle rit*) il baise parfait ! Je peux te dire que c'est la vérité. Il me donne du plaisir. Je lui dis: « tu baises parfait !» (*Rires*) C'est pour ça j'aime Européen.

Avant, je travaille dans le bar et je prépare les cocktails. Pas Go-Go. Je travaille Love Boat Bar. J'aime bien, je peux faire mélanges. Très bons cocktails. Je le rencontre là-bas. Il s'assied, tranquille, et essaie de parler avec moi. Pas un Play Boy. Une semaine, vient tous les jours au Love Boat.

Combien d'hommes t'ont-ils envoyé des lettres ?

Je sais plus. Des hommes drôles, des hommes m'aiment. Beaucoup d'hommes disent ils m'aiment. Le premier, un Suisse. Il finit de faire l'amour, il dit «Ouuuuuaaaahhh! T'es si bonne ! J'adore ! T'es mon style !» (*Rires*) Après, on reste ensemble longtemps, il dit il m'aime. Plein de mecs, c'est des conneries! Je crois pas les hommes. Jamais. Même mon copain Danois, parce qu'il a coeur brisé par une Thaïlandaise.

Pourquoi as-tu commencé à travailler comme fille de bars ?

J'ai un bébé. Le père est Thaïlandais. J'ai personne qui s'occupe de moi, j'ai pas de petit ami, maman très vieille. Je veux pas travailler ici.

Comment s'est passée la première fois que tu es allée avec un étranger ?

J'ai peur. Je me souviens. J'oublie jamais. Australien. Premier homme. J'ai vraiment besoin d'argent. Il dit «n'aie pas peur, je ne te fais pas l'amour, je t'emmène, je dors avec toi, c'est tout.» On fait pas l'amour.

Et la première fois que tu as couché avec un client étranger ?

Je me rappelle pas son pays. J'ai la trouille. Je dis: «oh mon dieu». Il dit: «calme-toi. Tu veux de l'argent ? Il faut que tu te détendes. Ça va bien se passer». Je dis: « d'accord ». Je prends une douche, je vais au lit. Il me prend dans ses bras et il me dit: «t'as peur ?» Je dis: «un peu.»
Il m'embrasse. Ça va mieux.

Comment vois-tu ton avenir ?

Je pense, je me marie avec Danois. Il me demande. Je dis: «je veux bien mais prends le temps de me connaître, peut-être je suis bien, peut-être je suis mauvaise».

Lorsque tu réponds aux lettres de tes clients, que leur écris-tu ?

Je dis: «ouais, j'espère tellement tu reviens très bientôt, comment ça va ? Tu travailles tellement. Oublie le boulot et reviens si tu m'aimes».

Leur écris-tu parfois que tu les aimes alors que ce n'est pas vrai ?

Je fais des conneries, parfois. Mais je demande jamais d'argent. J'écris: «je t'aime, je tiens tellement à toi.» C'est des conneries.

Pourquoi écris-tu cela ?

Parce que je sais le mec dit des conneries aussi. Lui, vacances. Lui, Play Boy. Je sais, il dit pas la vérité. Il dit: « je t'aime», je dis: «je t'aime aussi». Il écrit ce qu'il veut, j'écris ce qu'il veut. (*Elle rit*)

Comment la société thaïlandaise réagit-elle par rapport à toi ?

C'est pas un problème pour moi. Je m'en fous parce que je sais Thaïlandais jaloux Thaïlandaise couche avec farang . Il aime pas parce qu'il connaît pas.

Pourquoi les Thaïlandais sont-ils jaloux des farangs ?

S'habille mieux. A de l'argent.

Est-ce que ta mère sait pour ton travail ?

Ma mère, elle sait pas. Je raconte: «travaille dans boutique, disco, faire des cocktails». Je veux pas elle savoir. Jamais je lui dis, parce que c'est pas bon pour elle avoir fille comme ça. Maman veut pas moi devenir comme ça. Je veux lui dire pour Danois.

Pourquoi certaines filles se suicident-elles ou prennent-elles des drogues dures ?

Certaines filles peut-être ont coeur brisé. Elles prennent pillules et elles sont défoncées. Peut-être, elles pensent trop «oooooooh, ma vie !» Pourquoi elles pensent ça ?

As-tu, toi-même, été triste au point de penser au suicide ?

Suis jamais triste à cause de ça. Je pense je suis assez forte. J'apprends beaucoup sur les gens et l'amour. Parce que mon coeur brisé déjà. Quel travail je peux faire ?

Quels conseils donnerais-tu à une jeune fille qui envisage de devenir un fille de bars ?

Je dis c'est pas bien si très jeune, 15 ou 12 ans. Si 25 ans, elle fait ce qu'elle veut.

Quelles sont les différences selon les nationalités ?

Japon, j'aime pas. Je sais pas pourquoi, lui sadique. Je rencontre qu'un seul, sadique avec moi. Il donne 2000 bahts pour une minute et je pars. Il dit: «déshabille-toi». Je me déshabille. Je mets une serviette sur mon corps. Il veut que je reste comme ça et il dit: «montre-moi ta petite culotte». Et il fait ça *(elle mime un homme en train de se masturber)*. Il donne des claques sur les fesses. J'ai mal. Je dis: «ouille !!» Il donne l'argent et dit: «au revoir». Mes copines thaï landaises aiment pas Japonais. Sadiques, elles disent. Je préfère Danemark. Numéro deux: Oslo, Norvège. Numéro trois: Scandinavie aussi Finlande. J'aime pas Américain. Pas mon genre. Il y a beaucoup d'Américains qui veulent me prendre mais je dis: «non, pas mon genre». Ils sont toujours (*elle lève de nouveau le nez*), ils pensent, oh, lui très beau, très grand. C'est pour ça j'aime pas. Allemands, j'aime pas, parlent mal, pas sympas.

Est-ce que tu gagnes assez d'argent ?

L'argent, ça va. J'ai une maison à moi, deux pièces avec toilettes, une fille de trois ans et demi. Je veux elle avoir vie agréable, bonne école, bon travail. Je pense, c'est possible. Je veux pas qu'elle soit comme ça. Très mauvais. Je sais, c'est pas si bien. Si je me marie, je change de pays avec elle. Je veux, elle avoir bon esprit comme ça elle fait quelque chose de bien.

Est-ce que ton petit ami danois sait pour ton travail ?

Je lui dis la vérité. Je lui dis: «avant, travaille Patpong». Il pose des tas de questions. Mon petit ami envoie 20000 bahts tous les mois. Une copine reçoit l'argent de petit ami en Europe et dépense l'argent avec petit copain farang ici, boire, manger et tout et tout. Le type qui envoie l'argent, pas au courant.

Que cherchent réellement les étrangers dans les bars: le sexe ou l'amour ?

Des types ici en vacances, d'autres types non. Parfois, ils travaillent en Thaïlande et cherchent une fille pour beaucoup de temps. Parfois, ils disent: «Veux rester avec Thaïlandaise toute ma vie», d'autres, en vacances disent: «Je m'en fous de la fille, je veux faire l'amour».

A quoi penses-tu quand tu fais l'amour avec un client que tu n'aimes pas ?

Je me sens pas bien. Je montre pas. Je pense: «bon, il finit vite et je rentre». Si j'aime pas un type, d'accord pour l'amour, mais je regarde pas la tête. J'embrasse pas. J'aime pas les mecs bourrés.

Quel genre d'hommes vont à Patpong ?

Je pense, très seuls. C'est pour ça ils sortent tous les jours. Rien à faire. Peut-être, il a besoin une fille. Pendant longtemps, il baise pas. Parfois, filles farangs prennent thaïlandaises. Homme a une femme et l'emmène à Patpong. Une fille veut truc spécial pour mari. Le mari baise la Thaïlandaise et une autre Thaïlandaise doit (*elle sort la langue*) la femme. Ma copine l'a fait. Je dis: «pourquoi ?» Elle répond: «parce que farang paie beaucoup, 5000 bahts juste pour une nuit».

Certaines filles de bars continuent-elles de travailler en secret à Patpong après s'être mariées avec un étranger ?

Ouais! Je sais pas ce qu'elles pensent. Je crois elle aime pas petit ami. Peut-être elle pense un homme pas assez. Il faut qu'elle baise et baise encore. Moi, je crois, j'ai un bon. Jamais fait ça. J'arrête de travailler depuis un an. Très longtemps. Si je veux, je peux choisir un type chaque nuit. Ils demandent tous les soirs. Moi, je dis: «Je veux pas faire ça. Pas bien». Ma copine, marié e à Scandinavie, revient pour vacances et je sais elle baise à droite à gauche. Je dis: «Quand t'es vieille, t'as rien de sûr, si tu mens comme ça.» Beaucoup de filles stupides. J'aime pas ces filles. Disent que des conneries.

❧❧❧

Chérie,

Vendredi après midi, 16h30, assis à mon bureau. C'est la première fois depuis que je suis rentré en France que je trouve un moment pour t'écrire. J'espère que tu as vu mon ami et que tu as eu l'argent et la lettre que je lui avais donnés pour toi.

J'ai été très occupé depuis mon retour, au bureau (plus de 12 heures par jour) comme à la maison parce que les amis avec qui je partage l'appartement ne sont pas très forts pour l'entretien ménager et je dois presque tout faire (ranger, laver, faire les courses et la cuisine). Tu comprends pourquoi je n'ai pas eu une minute pour t'écrire. Ça s'arrange un peu malgré tout et je vais t'écrire plus souvent, peut-être même t'envoyer de la lecture en anglais et des cours d'écriture par correspondance (je m'y suis déjà attaqué: la première leçon sera l'alphabet anglais....)

Tu n'imagines pas à quel point tu me manques. Ma première pensée est pour toi quand je me réveille le matin. Je dis: «Bonjour chérie ! Tu as bien dormi» et la dernière, quand je me couche, est également pour toi. «Bonne nuit chérie, fais de beaux rêves !» A chaque fois que je ferme les yeux dans la journée, c'est ton visage que je vois.

Parfois, je suis triste quand je regarde les gens dans la rue. Les amoureux marchent enlacés. Ils s'amusent ensemble, ils font de petites choses ensemble, et nous, nous sommes si loin l'un de l'autre ! La plupart de mes amis sont des couples. Je suis jaloux parfois.

Bientôt, c'est certain, je serai de nouveau avec toi et j'aimerai l'être pour toujours bien que je sache que c'est impossible pour le moment. Nous devons attendre un petit peu.

A ma chérie,

Juste une autre petite lettre, au cas où la première se serait égarée. Ça fait deux semaines que je suis parti, chérie. Mais j'ai l'impression que ça fait deux ans, tellement tu me manques et tellement je t'aime. J'espère que tu ressens la même chose pour moi . Dis-moi je t'en prie ce que tu ressens. J'ai mis de l'argent sur ton compte en banque et tu devrais l'avoir reçu aujourd'hui. Il ne me reste plus qu'à espérer que les jours et les mois prochains passent vite pour que je puisse de nouveau être à tes côtés. Quand je serai là, je veux qu'on parle de ton voyage en Australie. J'espère que ça va et que tu n'es pas malade parce que je ne peux pas m'occuper de toi.

J'ai été très occupé au boulot, et j'ai dû travailler six jours la première semaine pour rattraper le retard, ça va mieux maintenant.

Je pense à toi tout le temps et il y a encore des nuits où je ne ferme pas l'oeil. Au bureau, j'ai épinglé une de tes photos sur le mur. Pour te regarder. Les autres photos sont bonnes aussi. Mes collègues ont tous dit que j'avais de la chance d'avoir rencontré une jolie fille. Bon, chérie, c'est tout pour le moment, en espérant une lettre prochainement.

Avec tout mon amour et pour toujours.

XXXXXXX

P.S.: Cette lettre n'est pas un mensonge, c'est la vérité.

Chérie,

Tu te demandes de qui est cette lettre.

Je suis l'Anglais que tu as rencontré le mois dernier. Tu es venue deux fois à mon hôtel (River City Guest House).

La première fois, tu es partie au milieu de la nuit parce qu'une autre fille est arrivée et était furieuse contre moi, elle voulait même me frapper. Est-ce que tu vois qui je suis maintenant ?

Le deuxième jour, je suis allé à Phuket avec mes deux copains. Je suis revenu à Bangkok dix jours plus tard et je t'ai cherchée au King's Lounge Disco, mais tu n'y étais pas.

*

Chérie,

J'ai des nouvelles très importantes à t'annoncer. Il faut absolument que tu comprennes cette lettre. Va s'il te plaît dans un bureau de traduction pour la faire traduire en thaï si tu as le moindre doute.

Important pour toi

Je suis allé voir mon médecin aujourd'hui pour vérifier si je n'avais pas attrapé de maladies en Thaïlande. J'ai expliqué que je t'avais fait l'amour de nombreuses fois et bien que je n'ai rien remarqué d'anormal sur mon pénis («bite»), mon médecin a dit que je devais avoir une petite infection (méthrite indéterminée). Il m'a donné des antibiotiques (médicaments), mais a dit que ce n'était pas grave. Il voulait simplement être certain que je n'avais rien attrapé de plus ennuyeux.

Mais ça va, chérie, ne t'en fais pas. Il n'y a aucun problème. Je ne souffre pas. J'ai dit au médecin que je n'avais pas utilisé de préservatif lorsque nous avons fait l'amour et il a répondu que nous étions inconscients tous les deux (assure-toi bien que tes clients en mettent un sans exception).

Tu dois comprendre, chérie, que c'est très important de dire à ton médecin tout ce que je t'écris dans cette lettre. Va le voir très vite je t'en prie et laisse-le t'examiner pour savoir si tu as attrapé une maladie (méthrite indéterminée).

Cela m'ennuierait vraiment que tu aies une infection vaginale (minou). Donc rends-toi immédiatement chez ton médecin, c'est important. Les risques sont minimes, ne t'en fais pas, mais je t'en prie, il faut en être certain. Je n'avais aucune maladie lorsque je suis venu en Thaïlande. Mon médecin me l'a confirmé. C'est la raison pour laquelle lorsque Hubert te dit de faire attention, je veux dire:

1. de t'assurer que tes clients mettent sans exception un préservatif quand vous faites l'amour;

2. Ne suce pas tes clients et ne les laisse pas te sucer;

3. Ne prends pas de Ganja (ne la fume pas) et n'en transporte jamais pour tes clients. Si la police t'attrape, tu iras en prison et pour longtemps.

Je t'en supplie chérie, ne cours pas ce risque.

4. Ne bois pas trop de Mekong (très mauvais pour ta tête et ton foie !)

Fais bien attention, je t'en prie.

Ne prends pas trop de risques pour te faire de l'argent en plus, je pense que tu vois ce que je veux dire. Je voudrais que l'on se revoit et j'espère que toi aussi.

J'espère que tu as bien reçu tes cadeaux. Écris-moi pour me le dire. Je t'ai envoyé un koala (poupée) australien pour te tenir compagnie dans la chambre.

Je n'ai pas de petite amie en Australie, en fait, je n'aime pas trop les Australiennes.

Mais toi je t'aime très fort tu peux me croire.

Encore une fois, prends tes précautions, quand tu fais l'amour avec un autre. Assure-toi bien que:

1. Il met un préservatif (pour faire l'amour ou se faire sucer)

2. Il ne te lèche pas le minou.

C'est à ces seules conditions que tu seras en sécurité comme tu l'étais avec moi parce que Hubert n'a pas de maladie. Mais je t'en supplie chérie, pense au Sida. Si tu attrapes cette maladie, tu meurs. Demande bien à ton médecin de confirmer que tu n'as pas le Sida.

Ça me rendrait profondément triste si quelque chose t'arrivait, alors fais attention.

J'espère te revoir bientôt.

Avec beaucoup d'amour.

Bonjour ma chérie,

Comment vas-tu !

Je sais, je t'envoies trop de lettres, mais j'espère aussi que tu les traduis, c'est très important de les faire traduire, fais-le s'il te plaît. Je voudrais que tu comprennes tout ce que j'écris et que tu me répondes.

Chérie, je suis de retour dans trois mois à Bangkok pour venir te voir et pour que tu repartes avec moi. Je sais que tu as ta vie et que si tu ne veux pas venir on arrêtera de se voir. Mais ce n'est pas ce que je veux. Je veux que tu viennes avec moi.

Tu me manques tellement chérie.... Tu sais, je t'ai aimée tout de suite et je ne veux pas que ça s'arrête. Je veux t'aimer toujours plus. Je pense que tu comprends quand je dis que je ne peux pas penser à l'amour avec toi quand je sais que tu baises avec d'autres hommes, mon coeur pleure et mon âme souffre tellement que je n'arrive pas à être heureux dans la vie. Je pense que tu comprends quand je dis que je dois trouver un moyen d'être heureux et que c'est peut-être possible tous les deux. Comme je t'ai dit, tu es la première fille à qui je demande autant de fois de venir avec moi en Allemagne. Mais si tu me dis non dans trois mois, je t'en parlerai plus jamais. J'aurais le coeur brisé, c'est certain, si je dois mettre un terme à notre relation. Il faudra que je trouve une autre fille pour réconforter mon coeur. Ce ne sera pas facile à trouver. Je t'aime....

Bon, j'ai assez parlé de mon amour, je veux parler de toi.

Je pense que si tu veux vraiment venir, tu dois changer de vie. Je pense aussi que tu dois commencer très vite à apprendre l'alphabet anglais. Je sais que tu es très paresseuse en ce qui concerne l'anglais, mais je pense que tu «peux le faire». Tu dois apprendre chaque jour l'alphabet pour écrire et parler, s'il te plaît. Tu peux parler avec ton amie de la chambre 202 (pardon j'ai oublié son nom) et peut-être que tu peux habiter avec elle et rendre ton appartement pour avoir plus de temps pour étudier. Comme ça tu pourras pratiquer l'anglais avec elle. Si tu veux vraiment apprendre, je t'envoie de l'argent. Et comme ça je suis plus heureux car je sais que tu ne travailles pas.

Quand tu étais avec moi, tu n'étais jamais obligée de travailler. Je m'occupais de tout.

Je sais que je te mets trop la pression. Mais on n'a que trois mois et je veux que tu commences à étudier et que tu arrêtes de faire de l'argent en faisant la pute. Commence à apprendre s'il te plaît, pour toi et moi. Je t'aime et je veux rester longtemps avec toi. N'oublie pas que j'ai beaucoup d'amour et que mon âme souffre. J'espère que tu comprends.

Je suis certain que ça ne pose aucun problème pour toi d'apprendre l'alphabet anglais en trois mois.

Chérie, je t'aime.

❧❧❧

Chérie,

Bien que nous nous soyons rencontrés dans de curieuses circonstances, tu as fait de mon séjour à Bangkok un moment merveilleux et charmant et je n'avais jamais été aussi bien à l'étranger qu'en ta compagnie. Tu n'es pas seulement belle mais tu es aussi une personne délicieuse à vivre—tu me manques déjà.

Avec plus de temps, peut-être aurais-je pu me perfectionner en thaï et toi en anglais. Certes, nous avons été parfois ennuyés par la barrière du langage mais notre communication était de celle qui vont bien plus loin que le sens des mots: l'émotion. Tout en tâchant de garder un peu de sérénité, j'attends avec une réelle impatience notre prochaine rencontre en Angleterre ou en Thaïlande.

J'ai repris mes études. Je pars aux États-Unis pour quelques mois avant de retourner en Angleterre et étudier. Tu trouveras une photo jointe à cette lettre en souhaitant qu'elle te plaise. J'ai ton beau visage accroché au mur.

Prends bien soin de toi. Sois prudente et dis bonjour à ton amie qui travailles avec toi. Écris-moi vite.Ton sourire me manque.

Je t'embrasse.

Chérie,

C'est sympa de t'être souvenue de moi. Tu es une jolie fille, chérie. Dépêche toi de trouver un mari qui t'aimera pour toujours. Je te dois encore un verre et je ne l'oublierai pas. Quand j'ai quitté Bangkok, je suis allé à Singapour puis à Manille où j'ai rejoint des copains. J'ai bien rigolé là-bas. Puis je suis revenu à mon boulot, à Sydney, en Australie. Je suis sûre que tu aimerais l'Australie et la Nouvelle-Zélande. Une coupe de cheveux pour hommes coûte 10 dollars ici. Tu pourrais faire beaucoup d'argent et rencontrer plein d'hommes (en espérant que je serai l'heureux élu).

Je connais des Thaïlandaises mariées à des hommes ici. Je suppose que ce que nous voulons tous c'est un amour qui dure. Tu es une très belle fille, chérie, très sexy et je parie que tu es aussi un bon coup. Je suis grand, j'ai une grosse queue et je cherche une Thaï landaise pour baiser et avoir un enfant.

J'ai une maison et je travaille très dur. Il y a pas mal d'Asiatiques qui vivent par ici. Il y a beaucoup de restaurants thaïlandais.

Dis-m'en plus sur toi, chérie. Je vais revenir en Thaï lande et passer plus de temps pour trouver ce que je cherche. Je compte bien te voir.

Quel temps fait-il en juillet et en août, là-bas, en Thaï lande. J'espère qu'il ne pleut pas trop. La Thaïlande et l'Australie ne sont pas si éloignées et tu vis dans un chouette pays, mais tu devrais venir me rejoindre, chérie.

Laisse l'homme que je suis te donner du plaisir et s'occuper de toi et couvrir de baisers ton corps excitant. Bon, écris-moi vite chérie et viens me voir.

ꕥꕥꕥ

Ma femme adorée,

J'étais vraiment heureux de t'avoir au téléphone aujourd'hui. c'est merveilleux de pouvoir entendre ta voix, tu me manques tellement !

Si tout vas bien, on se revoit dans moins de 45 jours à Bangkok. J'ai déjà acheté mon billet d'avion, et mon amie va bientôt aller à l'ambassade de Thaïlande en France pour faire nos visas (pour elle, son amie et moi). On sera bientôt de nouveau ensemble.

Je suis ravi d'apprendre que tout va bien pour toi. Parce que moi je n'ai pas été très chanceux ces derniers temps: j'ai un orgelet ainsi qu'un abcès dentaire. Ce sont des maladies bénignes bien qu'assez douloureuses, particulièrement quand elles arrivent toutes les deux en même temps. Je suis un bon traitement. Ça devrait bientôt aller mieux.

Je préférerais en tous les cas être en Thaïlande avec toi, même si c'est la saison des pluies en ce moment. En France, le temps n'est pas trop moche, mais le soleil ne se montre pas souvent et je me sens seul, parce que tu es loin de moi. Ce n'est pas génial de se coucher seul tous les soirs! Je pense très souvent à toi et plus particulièrement le soir avant de m'endormir dans ma modeste chambre si loin de celle que j'aime et si seul.

Plus que 45 jours, 44 demain... tellement de jours avant de nous retrouver ! Je suis allé à la banque aujourd'hui pour te faire un virement d'environ 24000 bahts que tu devrais recevoir sur ton compte d'ici vendredi ou lundi. J'espère qu'il n'y aura pas de problèmes. Tiens-moi au courant. J'essaierais de t'appeler la semaine prochaine, si j'arrive à obtenir la ligne.

Je t'aime plus que les mots peuvent l'exprimer.

J'espère que tu ne m'oublieras pas.

Avec tout mon amour et des millions de baisers, à bientôt

A toi, je t'aime.

Elle porte un jean et un haut sans manches qui révèle une feuille de Marijuana tatouée sur son épaule gauche. Une patte de lapin blanc porte-bonheur se balance à sa ceinture, au niveau de son entrejambe. Son regard est dur et ses cheveux, tirés en arrière et ramenés en queue de cheval, accentuent la sévérité de son visage. Elle devient sympathique pourtant, dès qu'un sourire apparaît sur ses fines lèvres.

Je travaille dans bars plus de 25 ans. Aujourd'hui, j'en ai 40. J'ai commencé à 14 ans. Les Américains de la guerre du Vietnam me manquent. J'aime toujours. Tu sais pourquoi ? Lui, le Yankee, il s'amuse, c'est tout, rend la Thaïlandaise heureuse. Quand on me voit au boulot, tout le monde dit: « Suzie Wong avec Yankee». Mais je m'en fous. Il vient avec la guerre. Gentil, adorable, c'est possible avoir un bébé. Ma maman me demande: «Comment tu peux l'aimer ?» Je réponds: «Je l'aime bien, très beau !» Je parle jamais d'argent, je dis jamais: «Hé ! Il faut que tu donnes de l'argent !». Il me donne seulement 90 baths. Ma famille très pauvre. 90 bahts par jour ça va. Lui si gentil. Bon d'accord, des fois il est bourré, sa bouche devient dingue parce que lui travaille avec les armes, dans la guerre, voit des trucs durs. Je le rends pas dingue. Je dis: «s'il te plaît, me dis pas quand tu vas à la guerre, ça m'inquiète.» Mon mari, cheval blanc, un soldat. Cheval blanc, c'est la bombe, la bombe ! Pour les combats, il part toujours en B-52. Si tu meurs, tu meurs. Un jour, il m'a emmenée pour voir. B-52. Ouaaaahouououou ! Énorme ! Enceinte environ trois mois. Quand Américains doivent partir, je me souviens, tout le monde pleure. Des filles ont trois bébés, des filles ont deux bébés. Mariées. L'Ambassade américaine donne pas le visa pour l'instant. Il faut attendre. Tu sais pas quand tu peux aller. Je vais dans B-52 avec mon mari. Je conduis ! (*elle pose ses mains sur un volant invisible*). Au sol pas en l'air.

Pourquoi as-tu débuté à 14 ans ?

Je veux déjà avoir de l'argent. Mon ami dit: «d'accord, viens avec moi, tu vends les fleurs la nuit aux farangs». Ça marche. J'ai 13 ans. Je vends les fleurs un an. Quand j'ai 14 ans, je peux aller au bar. Je vois un homme, mon mari. Il me regarde, il demande: «hé, ma petite, tu bosses au bar ?» Je dis: «Non, non, non, non, non, non. Je vends des fleurs. Tu achètes ?» Je dis: «10 baths». Il parle avec un mec au bar, c'est en 1965 et m'emmène à l'hôtel. J'ai la trouille tu vois. Je dors la nuit avec lui. Il sait moi vierge. Il sait déjà. Un homme travaille au bar, il sait, il lui dit: «Hé, fais gaffe mec, elle vierge. La coutume thaïlandaise quand tu baises avec vierge, tu vas en prison.» Il a la trouille. Je demande: «La nuit dernière, tu dors avec moi, tu câlines pourquoi tu baises pas ?» Il répond: «Je t'emmène voir ta maman». Moi je m'en fous. «OK, on y va. On va voir ma maman. Mais je te préviens. Moi très pauvre.» Tu sais ce qu'il dit à maman ? «Je veux marier avec elle !» Ma maman comprend pas. Je dois lui dire: on vit ensemble, on se marie. Un bébé. J'ai carte, je peux tout acheter au PX, la boutique des soldats américains. Trois ans ensemble. Tout va bien. Plus tard, il dit: «J'ai à te dire quelque chose que t'as pas envie d'entendre». Je dis: «Quoi ? T'es mon mari, moi ta femme». Il dit: « Toi et moi, on doit se séparer». Je dis: «Pourquoi tu parles comme ça ? Je ne sors jamais, je reste à la maison avec mon bébé, fais la cuisine». Il dit: «les Yankees doivent rentrer». Il dit: «Yankee, Thaïlande, merdique». Je dis: «Non, tu ne dois pas t'en aller».

Quelle a été la réaction des autres filles de bars lorsque leurs petits amis ou maris ont dû se retirer de la région ?

Ma copine se pend. Elle mariée avec le copain mon mari. Elle enceinte. 22 ans. Trop jeune. 2 enfants. Tu sais combien de petits bébés yankees en Thaïlande ? 400, 500 Yankees. Très pauvres. Je vois un gamin nègre au marché qui mendiait «Tu me donnes un baht?» Je dis: «Oh, oh». En Amérique, tout va bien. Pourquoi Amérique très riche vient pas en Thaïlande prendre les bébés ? Ouais, des filles thaïlandaises baisent avec farangs, baisent avec Amérique. Doit ramener bébés en Amérique. Quand il revient, je vais à San Francisco. Six mois. Très chouette. Avec un bébé et enceinte d'un autre. Je reviens Thaïlande. Bébé né. Mari à San Francisco achète grosse moto. Harley. Énorme. Je dis:

«Maintenant, tu as maison, voiture, nous toujours ensemble».

Quand je reviens à Bangkok, je reçois un coup de fil: «tu dois reprendre l'avion, ton mari accident de moto». Quand il meurt, je deviens dingue. Je reste à l'asile 3 mois à Bangkok. Moi folle. Je bois, bois. Ma belle-mère doit me renvoyer. Je sais plus rien. Je reconnais plus ma mère, reconnais plus mon bébé. Je reste à l'asile 3 mois. Quand je sors, je vais prison un an et 6 mois parce que ma mère a dit: «Je vois un Thaïlandais qui gifle un farang». Je prends la bouteille et la casse sur sa tête, ensuite je plante un couteau (*elle fait comme si elle poignardait quelqu'un dans l'estomac*). La police m'a trouvée.

Quand je sors, je commence à travailler au bar parce que mon frère meurt et personne s'occupe de ma mère. Je dois le faire. Mais je ne veux pas. J'ai 20 ans à peu près. 1971, Petchburi Road. Je tombe pas amoureuse. Je tombe amoureuse que de l'argent. Mon coeur est déjà foutu. Ouais, je peux dire: «je t'aime! je t'aime! à un millier de farangs. Le matin «500 bahts! fini!» J'ai besoin d'argent. Tout le monde a besoin d'argent.

Que penses-tu de la jeune génération de filles de bars?

Peut-être, aime l'argent. Trop jeune. Achète seulement des vêtements. Achète des chaussures. Je vois les jeunes filles. Elles m'appellent soeur. Je vois qu'elles dépensent l'argent. 2 heures, 4000 à 5000 bahts. Moi je dépense ça en un mois ou plus. Je dis à chaque fille que je vois: «Quand j'étais Suzi Wong, je couche avec le type, je gagne 90, 200 bahts. Toute la nuit, je gagne 290 bahts. Je travaille très dur, plus que toi. Toi ça va.» Elle dit: «dingue». Je dis: «Ouais, aujourd'hui, tout est cher». Avant, deux oeufs seulement 1 baht. Maintenant, deux oeufs, 5 bahts. Maintenant préparé avec riz, 10, 15 bahts. Avant 5 baht pour le tout. Je dis à la fille: «C'est ta vie. Pas bonne. T'es jeune. Peut-être tu peux trouver une boutique. Peut-être tu veux encore plus d'argent ?» Je parle avec la jeune fille: «Quand tu bosses, garde ton argent. Si tu gardes pas ton argent, tu deviens comme moi». Elle dit: «Veux travailler, avoir beaux vêtements». Elle veut pas écouter, tant pis c'est son minou pas le mien. «Fais gaffe au Sida».

Quand je vais à Patpong aujourd'hui, je connais jamais les filles. Aujourd'hui, elles s'amusent c'est tout. Touriste un soir. Mon époque reste avec GI. Te paie jamais. Comme petit ami et petite amie. Paie la chambre, la nourriture. Bonne vie. Mieux qu'aujourd'hui. Maintenant seulement un verre et baiser. Touriste vient seulement pour les vacances, dépenser de l'argent. Ça vaut rien. GI vient pour le Vietnam a petite amie, va en vacances avec petite amie. Époque du Vietnam meilleure. J'aime pas une nuit, deux nuits ou un mois, deux mois ou certaines nuits, rien. Des fois on s'ennuie, des fois c'est bien. Avec GI reste ensemble plus longtemps, bien plus longtemps. Quand quelqu'un parle «Yankee pas bon», tu sais ce que je ressens ? Après, j'arrête. Je veux pas être dingue encore.

J'ai passeport américain. Suis pas divorcée. Mon mari meurt. Je suis première femme du bidonville Pratunam à être partie en Amérique avec un GI farang. Je suis la première. Je suis une Suzy Wong.

Aujourd'hui, je ne fais rien, je vends du riz, des oeufs, de l'huile, à Pratunam, dans le bidonville. J'aime faire de l'argent avec la boutique. Tout le monde me considère mieux. Quand fille de bars, ouais, c'est bon t'as du fric mais tout le monde te méprise.

Quelles différences vois-tu entre les nationalités ?

Les Anglais, ceux d'Angleterre, c'est le style. Quand il veut emmener une femme, ils ne disent pas: «T'es Suzy Wong ? Combien ?». Ils disent seulement: «Bon, je t'emmène. On va aller dîner». Il dit jamais: «Tu dois coucher avec moi». Il me considère bien. Allemand, quand bourré, dit toujours: «Merde ! Shaïze ! Tu montres juste ton minou ! 500 bahts ! Fini ! Engueulades. A table, hurle: «Tire toi ! Arghhhhhhhh ! Va-te faire foutre ! T'as ton argent. Casse toi». Quand Allemand se réveille, dit: «Ha, fais chier, tu piques mon fric !» Plus de camés, plus de drogue. Avant Américains tous camés. Maintenant, Américains propres. Tous propres. En Thaïlande, Allemands tous camés. Et il regarde les filles de bars comme animal (*elle montre sa main droite comme si elle donnait une gifle*). La fille de bars est animal avec farang animal.

Yankee, très malin, très intelligent, font plaisir aux Thaïlandaises. Dit: «Thaïlandaises très gentilles». Il fait comme les Thaïlandais (*elle joint les mains devant elle et fait un «wai», salut thaïlandais traditionnel et respectueux*). Ne dit jamais: «Va te faire foutre». Japonais, très durs. Quand il aime une fille, elle doit rester avec lui tout le temps. Mais je sais pas je couche jamais avec Japonais. Australie, bon garçon «Hé copain !» Canada, certains s'énervent trop quand ils aiment pas quelque chose. Disent choses méchantes.

Mais Canada, ça peut aller. Je déteste vraiment Allemands. Amérique numéro un.

Les Thaïlandais attirent-ils autant les étrangères que les Thaïlandaises, les étrangers ?

J'entends les Thaïlandais parler, ils aiment bien aller avec les femmes farangs mais leur peau comme la grenouille. La peau des femmes farangs, pas bonne peau. Très molle et trou des femmes farangs très grands. Thaïlandaises ont deux ou trois bébés et trou pas très grand. Mais les femmes farangs font les fellations. Les Thaïlandais trouvent pas de Thaïlandaises qui font les fellations.Thailandais dit: farangs font fellation, je veux farang mais peau comme la grenouille. Avant, je connais pas la fellation. Et puis la guerre. Aujourd'hui les filles connaissent des tas de choses. Allez-y ! Allez-y !

Te souviens-tu d'une expérience inhabituelle avec un étranger ?

J'ai un type complètement dingue. On couche ensemble. Au moment de jouir, il dit: «Je dois jouir, maintenant !» Il faut que je morde tout son corps, très fort. Il dit: «Plus fort !» Quand j'allume la lumière, je vois qu'il a tout le bras et tout le dos coupés par morsures, mais il a bonne crème. Il porte jamais manches courtes ou short. Sale.

Chérie,

Comment vont tes copines (Kuay May, les gars !) et Noy (Petite maline, «vas-te faire foutre»), petite soeur et son mari et tes cousins ? Donne-leur mon amour car je les aime tous !! Ah, oui. J'avais presque oublié cette fille horrible et pas très maline. Comment s'appelle-t-elle ? Hummmmmm...Ah, oui, toi, Soeur Yat, très juk jik !!

Je plaisante, chérie. Je t'aime comme un fou et bien que tu te trouves à l'autre bout du monde, tu es constamment dans mon coeur et mes pensées. Je n'en peux plus d'attendre de nous revoir. Mon lit est très froid et je suis très seul.

Écris vite mon bébé calin.

Je t'aime et t'embrasse mon petit coeur.

❧❧❧

Ma femme adorée,

Je suis très fatigué ces temps-ci car je n'arrive à m'endormir que tard dans la nuit: je me fais beaucoup de soucis pour toi. Je suis malheureux que tu m'aies raccroché au nez il y a deux nuits. (Il était 4h30 du matin en France)

J'ai senti que tu étais très en colère contre moi et ça me rend très malheureux car je t'aime tellement fort. Je pense à toi à chaque seconde de ma vie et j'ai toujours fait de mon mieux pour que tout aille bien entre nous. J'ai essayé de te rappeler ce jour-là, mais tu n'étais plus là.

Oh, ma seule et unique, tu sais que je ne veux que le meilleur pour toi et je ferai le maximum, jusqu'à mon dernier souffle, pour qu'il en soit ainsi.

Ne te fâche pas, je t'en supplie. Ça me fait un mal fou, tu n'imagines pas. TU ES MON SEUL ESPOIR. La seule personne pour qui je puisse vivre et me battre.

C'est la vérité, mon amour: si tu n'existais pas, je ne serais qu'un vieil homme fatigué. Une personne sans but qui laisserait tout tomber et se laisserait finalement mourir.

JE N'AI PERSONNE D'AUTRE QUE TOI.

Je t'en supplie, mon amour, ne m'oublie pas. Pardonne mes péchés, ma maladresse et ma faiblesse.

Écris-moi quelques mots ou téléphone-moi... Ton amour est aussi vital pour moi que l'air que je respire ou l'eau que je bois. Je ne pourrais pas vivre sans toi.

Je t'aime et t'aimerai toujours. Je ne t'oublierai et ne t'abandonnerai jamais.

Aime-moi un peu, s'il te plaît.

Sincèrement.

Ma chérie,

Je t'aime et tu me manques tellement que je t'écris encore une fois. J'attends aussi ta lettre pour t'envoyer plus d'argent. J'espère que ça va et que je te manque autant que tu me manques. Je n'ai plus qu'un désir: être tout le temps avec toi. Je ressens tellement de choses pour toi. Je travaille six jours par semaine en ce moment parce qu'il y a beaucoup de boulot, mais j'ai déjà prévenu mon patron que je prenais bientôt une semaine de congé. J'espère que ça va arriver le plus vite possible pour que je puisse de nouveau être à tes côtés. C'est tout pour aujourd'hui, chérie. Ça me fait du bien de t'écrire. Surtout quand je peux exprimer ce que je ressens sur le papier.

Je t'aime et t'aimerai toujours.

Tu me manques, aussi.

Teelak xxx

xxxx

❧❧❧

Bonjour chérie!

Comment vas-tu ? Moi, ça va mieux. J'ai pu reprendre le travail et la douleur à mon doigt a disparu. Je suis assis dans la cuisine et je regarde le match de football «Hollande-Angleterre».

Ensuite, on va sortir en boîte avec des amis. J'espère que tu vas bientôt venir en Allemagne parce que tu me manques beaucoup. Essaie de mettre la main sur ton mari pour divorcer et essaie aussi d'avoir rapidement un nouveau passeport. L'été, en Allemagne, est très agréable. Chaud comme en Thaïlande. On pourra aller en Italie et je te montrerai Milan, Rome et d'autres beaux endroits là-bas.

Si tu ne trouves pas ton mari, viens quand même. JE VEUX VOIR LA FEMME QUE J'AIME.

Rien ne peut changer les sentiments que j'ai pour toi. J'étais un peu énervé au téléphone parce que tu m'as demandé si je t'aimais vraiment. Tu voulais être sûre. Ne refais jamais ça. Je pense que je te montre assez mon amour et que je t'ai assez livré mes sentiments. Ils ne changeront pas. C'est toi que j'aime, tu comprends. Et j'ai besoin d'aucune autre femme. J'ai trouvé celle que j'aime.

Débrouille-toi pour divorcer et on se mariera. Je te prouverai que je vaux bien mieux que ton mari.

Je t'aime très fort et je te ferai jamais de crasses ou de peine. Je ferais pas tout ça pour toi si je t'aimais pas. Maman aussi veut que tu viennes vite. Pour qu'on aille à l'église parce que mon copain va bientôt se marier. Nous aussi peut-être !!!

Passe un Grand Bonjour à ta maman et à ta famille.

P.S.: envoie-moi une lettre et rejoins-moi.

Avec tout mon amour.

❧❧❧

Chérie,

Tu es peut-être surprise de recevoir une lettre de Hollande. J'ai fait ta connaissance il y a un mois, vers 11.00 au Pussy Galore Club. Je t'ai trouvée très chouette (attirante par ton caractère et ton physique). Tu m'as donné une adresse et je voulais te donner signe de vie. J'ai joint une photo de moi, tu te souviens sûrement de moi. Enfin, je l'espère, car ça fait déjà un moment.

Je ne t'ai pas donné d'argent ce soir-là. Ça me tracasse beaucoup. Si tu désires que je t'envoie de l'argent ou quoique ce soit, tu n'as qu'à me le dire.

Je ne me suis pas présenté. J'ai 42 ans mais je fais vraiment plus jeune. Je fais beaucoup de sport (jogging, tennis) et je travaille comme comptable dans un bureau. Je vis en Hollande. C'est un pays plat.

Je tenais juste à te dire que j'apprécierais beaucoup que tu m'écrives.
Si tu ne peux pas, pour une raison ou pour une autre, répondre à ma lettre, je comprendrai.

En espérant recevoir de tes nouvelles.

Amitiés

Chérie,

Je sais aujourd'hui, à cause de ce que je ressens, que jamais plus je ne te traiterois comme je l'ai fait.
Tu es ce que j'ai de plus important dans la vie, chérie. Pour rien au monde, je ne veux te perdre.

Mais j'ai bien peur que ce soit déjà le cas.

J'aurais voulu être plus longtemps à tes côtés pour te montrer combien je t'aime.

Ça me fait mal de ne plus en avoir la possibilité.
Te rappelles-tu de moi, chérie ? Est-ce que j'ai perdu toute chance d'aller plus loin avec toi ? Je veux être présent dans ton coeur, chérie, pas à l'autre bout du monde. Je ne veux pas perdre contact. Comment peux-tu aussi facilement me mettre à l'écart ? Je suis malheureux quand tu n'es pas à côté de moi. Ne ressens-tu pas la même chose ?

Combien de fois encore vas-tu me demander d'attendre ? Je sais que sept mois, ce n'est pas beaucoup, et que c'est peut-être mieux pour nous deux de prendre le temps, mais pourquoi ne me le dis-tu pas ? Pourquoi ne me dis-tu pas ce que tu veux faire ?

J'ai l'impression que tu m'écartes parce que tes sentiments pour moi ont changé.

Que veux-tu que je pense maintenant, chérie ?

Avant, tu ne savais pas à quoi t'attendre avec moi, et j'aurais dû faire plus d'efforts pour te le faire comprendre.

Excuse-moi de ne pas être revenu quand j'ai dit que je le ferais. Je ne pensais pas que tout ça pouvait m'arriver. Alors que vas-tu faire, maintenant que tu sais que je reviens pour toi, quelle que soit la distance ?

Comment crois-tu que je me sente lorsque je sais que je ne suis pas le seul avec qui tu envisages de vivre. La seule chose que je puisse faire, c'est prier. Prier pour que ce soit moi. C'est une des raisons pour lesquelles je voulais voir le bouddha d'émeraude avec toi. Comme tu n'as pas accepté, j'ai pensé que tout ça n'avait pas d'importance pour toi.

Je sais que tu es jeune et que tu essaies de choisir ce qu'il y a de mieux pour ta vie. Je te demande seulement de faire un bout de chemin avec toi. Je veux faire tout ce que je peux pour apporter quelque chose à ta vie. Essayer de m'occuper des choses qui te sont le plus chères. Je les connais. Dis-m'en plus, chérie. Je veux ton amour et je veux te rendre heureuse. Je veux que tu sois heureuse avec moi.

Pourquoi me dis-tu que nous ne sommes pas pareils, simplement parce que tu ne peux pas t'éloigner de ta famille comme moi je peux le faire ?

J'ai de la peine, moi aussi, de ne pas pouvoir les voir aussi souvent que je le voudrais. Ce n'est pas chose facile pour moi, chérie. Je les aime, mais je t'aime aussi. C'est d'abord avec toi que je veux être. Parce qu'ils ne peuvent pas me donner le même amour que celui que je ressens en étant avec toi. Un amour que je veux toujours avoir auprès de moi. Je veux garder cet amour. Et quand le moment sera venu, je veux avoir ma propre famille. Je veux la fonder avec toi.

C'était très spécial pour moi d'aller dans le nord de la Thaïlande pour rencontrer ta famille. Pour la première fois, j'ai ressenti que je devenais une partie de toi. C'était une expérience fantastique et j'ai été très heureux de me trouver parmi les tiens. Ne renie pas ces moments s'il te plaît. Je veux être le seul à l'avoir fait avec toi.

Peut-être que c'est le moment de savoir, chérie, ce que tu veux dans la vie ? Arrête-toi un instant et pense à ça. Je désire plus que tout partager ma vie avec toi. Je ne serais jamais libéré si je ne garde pas au fond de moi ce que je crois être ma source de bonheur dans la vie.Toi comme moi cherchons à échapper à tout ce que nous avons à faire, chaque jour. Je voudrais que tout aille mieux pour nous deux. Vivons ensemble. Faisons-le, chérie. Ça serait un moyen de nous protéger l'un, l'autre.

Je sais que cette idée ne t'a pas enchantée à cause de mon boulot et de la somme d'argent que je possède. Mais saches que je n'aurai aucune difficulté à prendre soin de toi. Il faut que je sache si tu m'aimes par-dessus tout. Tu dois me croire et avoir confiance, chérie. Je peux te rendre heureuse, ne t'inquiète pas pour ça et surtout, je ne veux pas que ça soit un obstacle.

Si tu penses que nous avons un avenir à partager, je veux l'organiser avec toi. Que veux-tu faire ? C'est le moment opportun pour y réfléchir. J'ai plusieurs idées en tête mais je veux que tu m'aides à prendre une décision. Peu importe si c'est en Amérique ou en Thaïlande. Je serais heureux aussi longtemps que je serais avec toi. «Je t'aime très fort, chérie» Ce ne sont pas que des mots. Ne m'oublie plus, je t'en prie. Comment pourras-tu savoir si tu m'aimes, si tu ne m'attends pas, seule ?

Donne-moi une chance, chérie. Si tu n'as pas foi aujourd'hui en quelque chose, pourras-tu jamais croire en quoi que ce soit ? Je rêve de me marier avec toi. Et je prie pour que cela arrive à mon retour. Nous devons nous donner l'un à l'autre. Je saurais avant de partir si c'est vraiment ce que tu désires, parce que je serais capable de le sentir. Je pense à toi tous les jours et me réveille souvent la nuit. Je sais déjà que tout dépend de toi. Car pour ma part, je sais ce que je veux.

Sois gentille, parle-moi. Je veux savoir plus. Même si tu étais communiste, ça ne me dérangerait pas. Ce qui m'importe, c'est que tu m'aimes.

Ne cherche pas à m'éviter, chérie. Nous devons commencer quelque chose, quelque part. Faisons-le maintenant.

C'est tout ce que je peux dire aujourd'hui. Fais attention à toi et dis-moi ce qu'a fait le docteur pour tes yeux. Es-tu déjà allée le voir ?

Écris-moi dès que tu le peux. Je suis impatient de te lire.

T'aimerai toujours.

A bientôt.

Ma chérie,

Comment t'exprimer avec des mots combien je t'aime. Je sais maintenant que mon amour pour toi ne s'éteindra jamais. Tu es ma femme à présent. J'étais fou de bonheur en te passant l'alliance au doigt, parce que j'ai compris que tu avais accepté mon amour.

Nous devons tous les deux accepter le fait que la vie ne sera pas facile pour nous. Mais si tu m'aimes comme je t'aime, rien ne pourra nous empêcher de vivre ensemble jusqu'à ce que la mort nous sépare.

J'ai tellement aimé la dernière fois qu'on est resté ensemble...

Je sais que notre amour est vrai. Je prie pour te revoir bientôt pour que nous puissions régénérer notre amour. Prends soin de notre fille parce qu'elle sera aussi une partie de notre vie quand nous serons de nouveau réunis.

Je sais que, parfois, je bois trop mais c'est seulement parce que je me sens seul et que tu me manques tellement... Mon corps et mon coeur sont pour toujours à toi, et à toi seule. Je «t'aime» tellement. Si profondé ment dans mon coeur. Peut-être que je «t'aime» beaucoup trop.

Crois en mon amour, je t'en prie. J'ai tant besoin de toi pour refaire ma vie.

J'ai encore du mal à croire que je suis tombé amoureux d'une si belle Thaïlandaise, qui comble mon coeur à chaque instant.

Je porte en permanence tes pendentifs. Ils sont près de mon coeur. Je les embrasse. Je les chéris avec tout l'amour que peut offrir mon coeur. Je me sens si mal, des larmes me viennent aux yeux à cause de mon «amour» pour toi. Je T'AIME si fort.

Tu vois chérie, à l'heure qu'il est, je suis en train de me préparer un repas. C'est l'un de mes repas favoris: steak, pommes de terre et champignons. Quand nous serons enfin tous les deux, je t'apprendrai la cuisine australienne. Peut-être que tu l'aimeras aussi.

Mais n'oublie pas que tu dois préparer des repas thaïlandais qu'on puisse apprécier tous les deux.

Je dois y aller maintenant car écrire un peu plus me rend encore plus malheureux. Je pense tellement fort à toi: «JE T'AIME.»

«S'il te plaît, n'oublie pas de te souvenir de moi.» Ton mari qui t'aime.xxxxxxx

xxxxxxx Je voudrais que mon corps soit à côté du tien. Je t'aime pour la vie, sincèrement.

Vêtu d'un chemisier au décolleté plongeant, laissant deviner une superbe poitrine, un transexuel de 28 ans est accoudé à un minuscule bar de Patpong Road. C'était un homme jusqu'à l'opération qui lui a permis de changer de sexe. En Thaïlande, on appelle les transexuels, les «katoy» ou «lady men»

J'ai subi une opération il y a deux ans parce que je veux être femme. Je sais pas pourquoi. Suis né comme ça. Opération coûte 45000 bahts pour couper ici *(elle mime un vif coup de karaté en direction de ses organes génitaux.)* 20 000 bahts pour seins et 8000 pour nez. Le docteur demande mon âge. J'ai M.S.T. ou non et si pas d'autres maladies. Si ça va, ils peuvent changer une personne. Opération se passe à l'hôpital de Thonburi. Bon hôpital, bons docteurs. Ils demandent pourquoi tu veux être femme ? Je réponds: «ça me plaît». Je dois signer, si je meurs, ils ont pas de problèmes. Il y a beaucoup de katoy en Thaïlande parce que katoy bonne idée et bonne prise en main du client. Et femmes de bel aspect, beau corps aussi. Thaïlandais ont pas de poils, pas pareils qu'Européens, ont des poils. (*Elle montre les poils des avant-bras d'un étranger assis à côté.*) Facile pour Thaïlandais être beau katoy, femme moderne.

Es-tu déjà tombée amoureuse d'un client étranger ?

Quelqu'un avant. J'ai un petit ami, aime très fort. Il est Canadien. Il est marié, donc il peut pas vivre avec moi. Il peut pas venir me voir souvent. Il sait pas je suis un garçon avant. Je dis pas.

As-tu l'habitude de le dire à tes clients ou est-ce un secret ?

S'ils le demandent, d'accord. S'ils demandent pas, ils savent pas. Sur 100 personnes, 10 savent.

❧❧❧

A ma chérie,

C'est simplement la suite de mes deux autres lettres, en espérant que tu les as bien reçues. Je veux seulement continuer de t'écrire. Tu es encore tellement présente en moi, dans mon coeur, dans mon corps, qu'il faut que je t'écrive. Encore. Je tiens pas à avoir une réponse à chaque fois. Écris-moi quand tu peux, simplement. Et dis-moi que je te manque et que tu m'aimes autant que, moi, je t'aime et tu me manques.

Chérie, je parle dans ma seconde lettre de ton voyage en Australie et je dis qu'on en discutera bientôt. J'entends par là, chérie, que j'aimerais t'emmener bientôt en Australie pour quelques semaines. Pour que tu te rendes compte de la vie ici. Parce que tu sais bien que beaucoup de Thaïlandaises se marient, vont à l'étranger puis ça ne marche pas et elles doivent rentrer en Thaï lande. Je veux d'abord que tu vois l'Australie et qu'ensuite, tu décides si ça te va. Alors, je pourrais commencer à envisager notre mariage si, bien entendu, tu veux toujours de moi.

Bon, c'est tout pour aujourd'hui. J'espère et attend ta lettre. J'ai l'impression que ça fait des mois que je suis loin de toi.

T'aime pour toujours.

Bonjour chérie,

C'est encore moi, à qui tu manques et qui t'aime plus que jamais.

C'était bon, vendredi soir, d'entendre ta voix au téléphone. Ça m'a fait du bien et je t'appellerai désormais tous les vendredis à la même heure. Écris-moi s'il te plaît quelques mots. Fais-toi aider par ton professeur, je lui apporterais un cadeau quand je reviendrai. Je veux juste une réponse à certaines de mes lettres pour savoir ce que tu penses de moi.

Je t'enverrais encore un peu d'argent lorsque je recevrai ta lettre. Alors, écris-moi chérie, sois gentille. J'espère que tu aimes recevoir toutes ces lettres parce que j'adore te les écrire. Je peux dire ce que j'ai dans la tête et le corps. Tout se précise chaque jour un peu plus à cause de la souffrance de notre éloignement.

J'espère que les prochains mois vont passer vite pour que nous soyons de nouveau réunis. Voilà, j'ai fini.

Je vais ATTENDRE TA LETTRE maintenant.

Avec tout mon amour et mes baisers.

xxxx

Bonjour mon moustique !

J'espère que tu te portes pour le mieux. Je suis désolé de ne pas avoir écrit plus tôt mais j'ai été très occupé. J'ai travaillé tous les jours pour gagner le plus d'argent possible et pouvoir revenir en Thaïlande au plus vite. Peut-être la semaine prochaine ? Qui sait ?

Je tiens, du fond du coeur, à te remercier pour le crocodile en peluche. Je l'adore et il dort chaque nuit avec moi. Juste moi et mon crocodile en peluche.

Quand à toi, je ne sais pas avec qui tu dors. Peut-être avec ton petit ami japonais ??? Ou bien, avec ton amant, l'homme chocolat ! Je ne suis sûr de rien, tellement tu papillonnes.

Dans ta carte, tu dis que tu es malade. J'espère que ce n'est pas trop sérieux et que ça va mieux. Sinon, il faut que tu ailles voir le docteur pour te soigner.

J'ai tenté sans succès de retrouver des photos de ma famille. Si j'arrive à mettre la main dessus, je promets de t'en envoyer (mon moustique.)

J'ai besoin de ton aide: peux-tu te renseigner sur ce que je dois faire pour avoir le droit de conduire un tuk-tuk. Je suis sérieux. C'est mon plus grand rêve. Comme je connais très bien Bangkok (je ne plaisante pas), je pense que j'ai de bonnes chances de pouvoir me débrouiller dans les embouteillages. J'attends tes suggestions (Ne te moque pas de moi.)

Rien de sensationnel, ici, en Finlande. L'hiver est presque fini et l'été ne va pas tarder. Je crois que l'été va aussi arriver chez toi, dans ta ville (petite ville) et qu'il va faire très chaud. (Il fait toujours chaud à Bangkok, non ?)

Bon, je dois conclure parce que je suis très fatigué, et aussi parce que je veux pas faire languir le crocodile qui m'attend dans le lit.

J'espère que tu recevras cette petite lettre et qu'un jour, tu auras le temps de m'écrire pour me raconter comment ça se passe en Thaïlande.

Je t'écrirai bientôt. Bonne chance !

Je t'embrasse.

P.S.: Je pense à toi tous les jours.

Bonjour ma chérie !

Comment vas-tu ?

J'espère que tout va bien pour ma petite Thaïlandaise ?

Je peux pas trop écrire parce qu'il est très tard et je dois travailler demain.

Ta dernière lettre m'a rendu très heureux et je te remercie beaucoup. Je suis content de t'avoir rencontrée à Bangkok.

J'ai quelque chose à te dire et j'espère que tu vas pas te mettre en colère. Je veux que tu arrêtes de voir des hommes quelques jours avant mon arrivée à Bangkok, que tu fasses le test du Sida et que tu me le montres, en anglais.

Excuse-moi, ma chérie, mais j'espère que tu me comprends.

N'oublie pas que je t'aime beaucoup et que je veux passer quelques semaines avec toi. Si tu le veux aussi.

J'arrive bientôt et j'espère que tu seras dans ton appartement à m'attendre. Je t'appellerai, C'EST SUR. Ne m'oublie pas !

Bises.

P.S.: Ne sois pas en colère, ma chérie. Je t'aime bien.

Chérie,

Merci de m'écrire. Je ne pensais pas que tu le ferais parce que tu étais furieuse contre moi. Ne t'arrète pas maintenant, je t'en prie, même si la vie est mal faite.

Tu trouveras des photos de l'endroit d'Amérique où je suis impatient de t'emmener. Mon père me les a envoyées pour que je puisse te les montrer. C'est là qu'il vit aujourd'hui.

Je pense que tu devrais aimer à cause du climat. Il fait chaud tout au long de l'année comme en Thaïlande. On pourrait faire plein de choses ensemble ici. Je voulais que tu puisses avoir un aperçu et décider si tu veux t'installer avec moi là-bas. Peut-être que ça te plairait ?

J'ai un travail bien payé qui m'attend l'année prochaine, après l'armée. Un travail de ravitaillement d'avions dans les aéroports.

Mais je ne sais toujours pas si je vais l'accepter.

C'est bon de savoir que tes yeux sont en train de guérir.

Ils sont très beaux et j'aime regarder dedans. J'aimerais pouvoir te voir.

Mon frère et sa femme viennent d'avoir un nouveau bébé. Ça m'a rendu très heureux pour eux, mais triste en même temps, parce que j'aurais voulu que ce soit moi.

Est-ce que c'est pour ça que tu n'es pas sûre de vouloir m'épouser ? Tu ne sais pas si tu veux un bébé avec moi ? Je sais que je n'ai pas «tout ce que tu aimes» chez un homme. Mais moi, je ne pense pas la même chose de toi. Tout ce qui m'importe, c'est de savoir si tu m'aimes.

Je sais que tu es fâchée contre moi parce que je n'ai pas tenu ma promesse de t'envoyer de l'argent.Ce n'est pas parce que je t'ai oubliée. C'est parce qu'il fallait que je règle d'abord mes dettes.

Nous avons de nouveau des ennuis avec les Arabes et, au moment où tu recevras cette lettre, je serai dans un pays qui s'appelle «l'Arabie Saoudite». Je pars bientôt là-bas.

Regarde les nouvelles à la télévision et tu comprendras. Ma mère s'est inquiétée lorsque je lui ai dit que je devais partir. Ça fait longtemps qu'elle ne m'a pas vu et elle pense qu'elle ne me reverra pas. Je lui ai dit de ne pas s'en faire. Il va se passer beaucoup de temps avant que je puisse retourner à Bangkok pour te voir. A moins qu'il y ait une guerre, je ne pense pas que je serais dans 6 mois. Pardonne-moi, chérie.

C'est pour ça que je veux quitter l'armée. Je me déplace trop souvent.

C'est aussi pour cette raison que je voulais ouvrir un compte en banque commun. Pour te faire virer ma solde et qu'il n'y ait aucun problème. J'aurais souhaité que tu me fasses un peu plus confiance. Je n'essayais pas d'agir de manière égoïste. J'ai toujours mes raisons de vouloir faire les choses d'une certaine manière. J'aurais voulu que tu me comprennes....

Maintenant, tu penses que je me fiche pas mal de ta situation. Mais ce n'est pas vrai, chérie. Ne crois pas ça. Je veux t'aider. C'est pour ça que je t'ai demandé ces détails auparavant. Pour te faire comprendre que je voulais t'aider. J'ai manqué de patience et j'ai eu peur de ne pas avoir assez de temps avec toi. C'est très court, deux semaines.

J'ai compris que j'avais fait fausse route, chérie. Et je n'ai plus aucun moyen maintenant pour te convaincre de mes intentions. J'ai toujours peur qu'on se méprenne. Que tu ne saisisses pas tout ce que je veux exprimer à cause de la distance qui nous sépare. Et de la manière dont les choses évoluent.

Comment, maintenant, vas-tu interpréter ou comprendre ça, chérie ? Je ne pourrai pas t'envoyer d'argent de l'étranger. J'espère seulement que tu vas comprendre aussi ma situation.

Je ne veux pas que ce soit la fin de ce qu'on a commencé ensemble, chérie. Est-ce qu'il n'y a que ça qui signifie quelque chose pour toi ? Je sais que c'est important, mais j'aimerais pouvoir penser qu'il y a plus dans notre relation que, simplement, ce qu'on peut faire l'un pour l'autre. Comme tu ne peux pas compter sur moi pour l'argent, je sais que tu vas devoir retourner travailler.

Ça me fait mal que tu doives recommencer. Ce n'est pas la vie que je voudrais que tu aies. Tu mérites mieux. Tu es trop bien pour ça. Tu vaux beaucoup plus. J'aurais voulu que tu penses la même chose de toi-mê-me et que tu ne le fasses pas simplement par dépit. Pardon d'avoir été furieux contre toi, chérie. Mais que penserais-tu, si ça ne me faisait rien du tout ? Tu serais indifférente ?

Ton amour m'est tres précieux, cherie. Il ne faut pas tout arrêter à chaque fois qu'il y a un problème. Si tu penses sincèrement m'épouser, il est important de continuer. Sinon, nous ne pourrons jamais savoir ce que nous ressentons l'un pour l'autre. Si c'est aussi ce que tu veux, nous devons essayer de tenir bon. Mon amour pour toi ne s'éteindra ni ne se fanera, si c'est ton désir. Mais ce que nous gardons secret et les problèmes dont nous ne parlons pas ne disparaîtront pas non plus. Nous sommes tous les deux sérieux et nos projets le sont aussi. La voie que nous prenons sera dangereuse tant que nous n'aurons pas abordé certaines questions. Je veux que nous ayons confiance, en même temps, l'un en l'autre, chérie.

N'attendons pas que l'un de nous fasse le premier pas. Comment savoir si l'on s'aime en agissant de cette manière? Tu dis que tu attends le jour où l'on pourra se comprendre. J'espère que tu m'aimes assez pour croire que je suis capable de te comprendre, en suivant simplement le chemin des émotions et des sentiments que nous avons l'un pour l'autre. Je ne veux pas qu'on perde de temps. On peut faire mieux «maintenant» et quand je reviendrai te voir pour ton anniversaire.

Pourquoi veux-tu que j'attende que tu aies l'âge légal (20) pour revenir en Thaïlande ?

Pourquoi ne pas m'en dire plus ? Tu ne me dois aucune explication, chérie, c'est d'accord et ce n'est pas pour ça que je te demandes d'en dire plus. C'est parce que je veux que tu saches que je t'aimerai malgré tout. Que je comprendrai. Je t'en supplie, donne-moi une chance de te le prouver.

Est-ce que tu as des engagements jusqu'à cette date ?

Je tiens à ce que tu saches également que je t'aime pour ce que tu es vraiment et pas pour ce que tu crois devoir être pour obtenir ce que tu veux. Je comprends la situation dans laquelle tu te trouves et tes motivations, mais ça sera toujours toi et toi seule qui décidera de ce que tu veux être. Tu es la seule à pouvoir répondre à cette question. Tu es belle et ardente, je ne veux pas que tu l'oublies.

Je désire sincèrement que l'on continue de s'écrire, chérie.

Tu peux toujours envoyer tes lettres à la même adresse. L'armée se chargera de faire suivre.

Je t'aimerais aussi longtemps que tu m'aimeras. Je prie pour que ça dure toujours.

L'argent que j'économise est pour nous, parce qu'il peut nous aider à nous réunir. Je ferais n'importe quoi pour te rendre heureuse. Tu en sauras peut-être plus à mon retour. Si quelque chose change entre-temps, dis-le moi. Je ne veux pas que tu me blesses, comme tu l'as déjà fait. Ça met trop de temps à cicatriser.

Prends bien soin de toi, s'il te plaît. Je t'aime, chérie. Quoique tu fasses. Ne l'oublie pas. Je téléphone et t'envoie de l'argent dès que je peux.

D'accord ? Je t'aime xxxxxxx

Chère chérie,

Je suis heureux de t'écrire cette lettre parce que je veux que tu saches que je t'aime. Je suis resté si peu de temps à Bangkok que je n'ai pas eu le temps de te dire combien je t'aimais.

Ces petites vacances en compagnie de mes copains ne sont pas bénéfiques pour toi et moi. Il y trop d'alcool et pas assez d'amour. Pardonne-moi, s'il te plaît, mon amour.

Pardonne-moi aussi d'avoir pris une fille au Suriwong. Mais ça m'a fait tellement mal de te voir te comporter comme une fille de bars au Tavern Bar, ce dimanche matin... Après ça, je me foutais de tout. Je t'ai demandé plusieurs fois d'arrêter ce comportement minable...

Je mets de l'argent dans cette lettre et t'enverrai demain le montant de la note de téléphone.

J'ai décidé pour mon prochain voyage à Bangkok, que nous irons à Koh Samet et aussi à Phuket ou Hua Hin. Je suis très pris par mon travail en ce moment. Je pense à toi tout le temps et tu es bien trop loin de mes bras.

Mon ami quitte l'Arabie Saoudite demain pour un nouveau travail. Ça faisait 10 ans qu'on travaillait ensemble.

Je ne sais pas pourquoi tu vas à Patpong quand je n'y suis pas et comme tu refuses de me le dire...

Je te promets désormais d'être compréhensif si tu veux me dire quelque chose. Je suis triste de ne rien savoir. Tu dois me faire confiance, mon amour.

Il faut que j'arrête maintenant. Sois heureuse, ma chérie et prends bien soin de toi.
Je t'aime à la folie.

Elle a le regard noir et semble irritée, presque au bord de la colère. Trapue, elle a toujours l'air renfrogné.

J'ai 30 ans, la première fois je tombe amoureuse. Lui américain. Deux ans et demi. Terminé. J'ai un mari thaïlandais en même temps. L'Américain sait, mais il m'aime quand même. Mais mon copain parle avec lui, fout la merde. Alors il écrit une lettre: «je sais maintenant pourquoi tu dors avec moi seulement 3 nuits par semaine»

Il veut se marier avec moi mais il dit: «je crois tu aimes plus le Thaïlandais». Je le vois au Nana Hotel et je ici dis: «j'ai mari, comment se marier ? Mon mari me donne pas d'argent. Je travaille.» Alors, Amérique dit: «OK, terminé ma petite». Fait un bisou, donne de l'argent et dit: «bye-bye». Homme le meilleur. États-Unis. Quand moi avec lui, moi heureuse. Un an après, mon mari meurt. Boit du whisky. J'écris une lettre en Amérique mais il répond jamais. Je suis sûre, il a la lettre.

Un autre, Australien. Lui avec moi en ce moment. Il revient bientôt. Je connais depuis cinq mois. Il demande si j'ai le passeport mais il dit jamais: «je t'aime», il dit: «je t'aime bien». Il dit jamais: «marier». Je dis: «j'ai le passeport», mais il dit rien. Je connais pas l'avenir.

Comment es-tu devenue une fille de bars ?

J'ai une copine pour jouer aux cartes. Je vois ma copine se faire belle, je demande: «c'est quoi ton boulot ?» Elle dit: «bar». Je vais au King's Castle. Je danse pas. Mon boulot juste ouvrir la porte, toujours ouvrir la porte. J'aime bien quand la femme se fait belle. Porte de l'or. Je crois qu'elle a un mari aussi mais elle s'en fout. Alors je travaille.

As-tu des enfants ?

Un garçon. Huit ans. Une femme m'a donné. Père koweïtien. Mère travaille au Grace Hotel, sort avec Arabes. Elle dit: « je veux pas ce bébé.» Puis, «je te le donne.» Moi, je crois elle blague. je m'en occupe. et comme c'est la première fois, je ressens quelque chose. Mignon, tu sais. Les Arabes ont de grands yeux. Moi, j'ai un mari thaïlandais. Aujourd'hui, garçon de trois ans.

Que penses-tu des lettres que t'envoient les étrangers ?

Je crois pas. Un homme qui reste juste une semaine, deux semaines, comment il peut dire il m'aime ? S'il dit: «je t'aime bien», je crois. Je réponds: «mon chéri, tu reviens dans un mois mais ça semble une année. Si c'est six mois, ça semble six ans! Je veux que tu reviennes plus tôt, vite. Parce que je suis heureuse quand je suis avec toi. Je suis bien. Est-ce que tu me crois? J'ai jamais ressenti ça avant...» Je veux qu'il se sente bien quand il lit la lettre. Parce qu'il travaille trop dur. Je dis: «je veux envoyer une photo». Je dis: «OK, chéri, je dois dormir et arrêter la lettre mais je veux que tu penses à moi tout le temps, comme moi. Quand je mange, quand je travaille. Je pense à toi.» Et je blague, je dis« des fois, je couche avec quelqu'un et je pense à toi aussi!» Je dis: «je t'aime trop mon amour, amour, amour, amour». J'écris ça à l'Australien.

Écris-tu des choses qui ne sont pas vraies à ces é trangers ?

Parfois dans les lettres, c'est pas vrai. Une semaine, un homme dit: «je t'aime. OK, on se marie». Je dis: «je vois ta lettre. Tu veux on se marie. Moi aussi. Je t'aime.» Pareil. Lui, ment le premier.

Mais pourquoi lui réponds-tu par un mensonge ?

Parce que je veux lui revienne à Bangkok. C'est bon pour mon business.

Es-tu fâchée si, plus tard, ton client va avec d'autres filles ?

Suis fâchée. Mais je veux pas faire dispute parce que le type peut dire: «je viens ici vacances. Peux avoir toutes les filles je veux.»

Pour quelles raisons te disputes-tu avec un client ?

L'argent. Je dis: «700 bahts». Il dit: «400». Avant, il dit: «700». Après, il oublie. Moi timide. Parfois, j'ai des problèmes avec l'argent.

Quelles nationalités préfères-tu ?

J'aime bien USA. Numéro un. Australie, numéro deux. Puis Canada et Angleterre. J'aime que quatre pays. (Elle montre la photographie d'un Canadien de 47 ans) Celui-là, type bien. S'occupe de tout. De l'argent. De la nourriture. Je reste une semaine avec lui.

Il y a un an. Lui écrit: «tu es trop âgée maintenant. Il faut penser à l'avenir. Dis-moi oui ou non et je t'aiderais.» Il écrit pas Amour, Amour, Amour. Juste pour m'aider moi et mon bébé. J'aime bien. Pas amour. J'écris une fois. Juste pour parler. Il envoie une fois 300 dollars. J'écris lettre: «j'ai problème avec ma famille». Dis: «la jambe de ma mère n'est pas bonne et je veux régler son problème à l'oeil.» Et il envoie l'argent. Ma mère ne sait pas. Je perds l'argent aux cartes. Poker. Maintenant, j'arrête. Maintenant, je veux économiser parce que j'ai pas d'argent pour moi. J'envoie 2000 ou 1500 bahts à ma mère chaque mois. Plus de cartes. Je perds tout. Perds le temps pour travailler. Perds les idées aussi parce que si je joue, c'est toute la journée jusqu'au matin, et toute la journée jusqu'au matin encore. Ça me rend dingue. Je me dis, j'arrête. Pas terminé pour toujours. Mais je stoppe. Avant, je perds parfois 1000 bahts, 5000 bahts. J'arrête quatre mois parce que le business va pas bien. Ça m'inquiète. Je veux travailler tous les jours. Un soir, je n'ai pas de client, j'ai gros problèmes. Pas pour sexe. Mais parce que j'emprunte un jour 20 000 bahts. Je dois payer 24000 bahts. 20% de plus.

Vas-tu épouser l'Australien ?

S'il demande, je dois dire oui. Il ressent quelque chose. C'est sûr, sûr.

Quels conseils donnerais-tu à une jeune fille qui envisage de devenir une fille de bars ?

Si elle encore une dame, je lui dis: «travaille jamais ici». Si elle s'est déjà fait avoir, je dis: «oui, va travailler, c'est mieux. Profite bien et fait de l'argent.» Pourquoi elle baise pour rien ? Si elle vient à Bangkok pour aller à l'école, je dois l'aider. Je dois voir le type et dire: «combien tu paies pour elle ?» Si elle vierge, je dois lui dire: «non, travaille dans magasin. Vend vêtements, c'est mieux.» Parce que si elle travaille comme moi, elle a le coeur dur. Elle a jamais d'argent avant et maintenant elle a trop d'argent. Elle a jamais beaux vêtement avant et maintenant elle a trop de vêtements. Quand une jeune fille veut débuter, parfois, elle vient s'asseoir derrière moi. Je dois vérifier d'abord. Peut-être elle dit elle a jamais fait avant. Trois jeunes filles travaillent avec moi. Deux filles, 17 ans et une fille, 20 ans. Elle dit jamais travaillé avant. Je donne à un homme. Cet homme avec moi avant. Je lui dis: « j'ai une dame avec moi. Elle a problèmes d'argent.» Je donne longtemps. Mais le type, bien. Juste une passe. Un Chinois donne 500 bahts. Un farang, de Suède, donne 700 bahts. Elle me donne 100 bahts. Je dis: « je veux pas d'argent. Achète-moi la nourriture.» Je prends jamais l'argent. Elle dit qu'elle a besoin d'argent, pourquoi moi je le prends ?

Est-il possible pour un fille de Patpong de rencontrer puis d'épouser un étranger ?

Facile, je pense. Je demande à mon amie, elle dit: «heureuse après deux mois avec homme. Vais Allemagne.» Je vois beaucoup de dames partir. Mais quand elles partent, elles travaillent là-bas. Danser ou travailler dans les bars, comme ici. Dame reste avec type une semaine, deux semaines, va à l'étranger. Je pense pour travailler. Pas par amour. Beaucoup de farangs viennent à Bangkok pour chercher des dames. Comme gigolos. Gigolo allemand, suédois. Très beaux. Prennent dame pour travailler. Moi, je vais avec gigolo allemand mais juste pour une nuit. Il donne 500 bahts. Il dit: «moi, gigolo allemand». Je regarde, je sais. Parfait au lit! J'ai copine mariée avec farang. Heureuse. Pourquoi pas ? Elle part Suède. Il envoie l'argent à la famille. 80% des filles heureuses après mariage.

Elles se marient par amour. Par amour. Elles travaillent en dehors Thaïlande. Tellement d'argent!

Plein de filles veulent quitter Thaïlande et travailler. Le rêve des filles. Parfois, je rêve. Ferme les yeux. Mais quand j'ouvre, plus rien. Je rêve. Veux avoir le type avec moi. L'argent. Rendre famille heureuse. Aller partout. Juste le rêve. Ma copine vit en Allemagne, elle dit: «j'ai mari en Allemagne. Moi heureuse.» Mais comme elle me connaît, elle peut pas mentir, elle dit: «j'aime gigolo.» Elle travaille dans un « Théâtre Porno » en Allemagne. Mais elle aime trop le type.

Est-ce que d'autres filles ont épousé leur client étranger après seulement quelques nuits passées ensemble ?

Après deux ou trois jours peut-être, le type ressent quelque chose rapidement. Elle se mariera. Elle dit vite: «oui», parce que travaille pour famille. Après, là-bas, elle voit si bien ou pas.

Pourquoi les étrangers sont-ils attirés par les Thaïlandaises ?

Je demande au type: «tu as ta femme, pourquoi tu viens en Thaïlande ?» Le type dit: «veux sexe différent. Thaïlandaises font l'amour différent farangs.» Il dit: «ouais, je veux Thaïlandaises.»

Quand il vient ici, il est libre. Je vais aussi avec mari et femme farangs. Quand le mari est assez excité, il fait l'amour avec sa femme. Pas avec moi ! Elle fait l'amour. Je regarde ! Dingue ! Ce que je fais avec le type, seulement il touche mon visage. Je vais avec eux pendant trois jours. Je fais l'amour seulement deux fois.

Comment la société thaïlandaise réagit-elle par rapport à ton travail ?

Peut-être pense horrible. Ou, regarde et pense mal. Parfois, Thaïlandais me voit dans la rue avec farang et me dit: «pourquoi pas moi ? Pourquoi ? Parce que moi, pas farang ?» et fait ce *bruit (elle imite le bruit d'un baiser très sonore.*) Ou il dit: «veux baiser ?» Je dis: «baise ta mère !» Il dit: «Pourquoi ? Parce que Thaïlandais pas d'argent ?»

Chérie,

J'espère que ma lettre te trouvera à la maison. Je m'en fais pour toi parce que j'ignore où tu es. J'espère que tu es en vie et que tu vas bien. Fais très attention je t'en prie et ne prends aucun risque.

J'ai téléphoné au Rififi Bar la semaine dernière. Mais la dame m'a répondu que tu étais en vacances.

Je téléphonerai encore au Rififi Bar pour essayer de te parler.

Je reviens BIENTÔT à Bangkok et je souhaite vraiment te revoir. J'espère que tu resteras avec moi, nuit et jour, cette fois.

Il y a tellement de choses que je veux te dire. Mais tu ne m'écris pas et je ne sais pas quoi penser.

Si tu as des ennuis, dis-le moi s'il te plaît. J'essaierai de t'aider. (J'espère que tu n'as pas d'ennuis mais je veux t'aider.)

Si tu changes de boulot ou déménages, fais-moi savoir, s'il te plaît, où je peux te contacter. Si j'arrive à Bangkok et que je ne peux pas te trouver, je serai vraiment très très malheureux.

Plus tard....

Je t'ai appelée ce soir au Rififi Bar. J'étais très heureux de te parler, de savoir que tu étais vivante et que tout allait bien. Je me sens mieux à présent. Je me sens tellement mieux de t'avoir parlé.

Crois-moi, je t'en prie, chérie. Je n'aime pas cette autre fille.

J'ai fait sa connaissance auparavant à Bangkok et c'est juste une amie. Rien de plus. Je ne veux pas être son amant. Ne t'en fais pas à propos d'elle. Je veux être avec TOI. Je suis si malheureux de ne pas être avec toi ce soir.

JE T'EN PRIE, ÉCRIS-MOI UNE PETITE LETTRE. Parce que je m'inquiète énormément pour toi. J'essaie de te téléphoner au Rififi Bar mais je ne sais pas où tu es. Je me fais du mauvais sang.

Tu comptes beaucoup pour moi. Je veux être sûr que tu es vivante et heureuse.

Alors, s'il te plaît, demande au type d'écrire une lettre pour toi.

Je veux tellement revenir en Thaïlande et être de nouveau avec toi. Tu me manques énormément. Je viens bientôt à Bangkok POUR TE VOIR. Je ne veux aucune autre Thaïlandaise. Seulement toi. C'est la vérité.

Je suis désolé de t'avoir contrariée quand j'ai invité cette autre fille à dîner. (la dernière fois que je suis venu à Bangkok.) Mais chérie, ne te fâche pas. Je n'aime que toi.

J'espère que tu vas m'envoyer une petite lettre pour me dire ce que tu ressens vraiment pour moi. Je crois que tu m'aimes un petit peu, mais je n'en suis pas certain. Je souhaite que l'on reste pour toujours bons amis. Mais comprends, s'il te plaît, chérie, que je n'ai pas beaucoup d'argent à te donner. Je dois tellement dépenser pour l'avion de Bangkok... Je ne suis pas riche, excuse-moi.

Quand tu m'écriras, dis-moi si tu as reçu le lecteur de cassettes que j'ai envoyé. (Et les 500 bahts.)

Pour moi, tout va bien. Alors, ne t'en fais pas. Fais attention à toi et ne t'attire pas d'ennuis.

Je t'apporterais quelques petits cadeaux d'Australie quand je viendrai. Je tiens vraiment à trouver un travail à Bangkok et vivre en Thaïlande.

J'ai fait des études. (Le savais-tu ?) J'espère que tu m'aideras à trouver un emploi.

Je t'aime très fort et je veux être à tes cotés.

Il n'y a pas d'autres Thaïlandaises. Il n'y a que toi qui m'intéresse.

Tu ne dois pas t'en faire. Je vais trouver un emploi, la prochaine fois à Bangkok. Je n'inviterais pas d'autres femmes à dîner. Ceci est une promesse. Je ne ferais pas non plus l'amour à d'autres femmes. Toi seulement. J'ai TRÈS envie de te faire l'amour. Je ne te mens pas pour l'argent. J'ai un salaire moyen et il faut que je fasse attention avec l'argent. mais je t'aiderais autant que je le pourrais. Je ne veux pas que tu penses que je suis un pauvre type. C'est très cher de venir en Thaïlande par avion.

Quoiqu'il en soit, je veux te revoir, chérie. Et j'espère plus que tout que tu n'as aucun ennui.

Je ferai de mon mieux pour t'aider.

Je t'aime très fort.

Ton ami.

Elle porte des sous-vêtements d'un blanc éclatant. Elle vient de danser sur la scène d'un bar de Patpong. Elle se détend un moment avant de reprendre son tour. Bien qu'elle paraisse sûre d'elle, intelligente et en pleine possession de ses moyens, on devine quelque chose est détruit en elle.

J'ai 29 ans, je travaille à Patpong depuis trois ans.

Combien de lettres as-tu reçues ?

Trop.

Est-ce que tu y crois ?

50/50. Parfois, le mec est bien. Parfois, dingue.

Est-ce que tu leur dis que tu les aimes ?

Je dis: «Amour ! Amour ! Amour !» Mais non, je ressens rien.

Je dis: «Amour» pour l'argent. Je dis: «Amour», mais dans mon coeur, rien. Argent ! (Rires)

J'aime un mec. Un Suédois. Lui très jeune. Terminé maintenant. Reparti en Suède. Lui pas écrire. pas très bon. Je pense à lui. lui bien. Je veux me marier. Je travaille parce que je veux me marier. Mec bien. Parce que j'aime pas Thaïlandais. Thaïlandais pense, femme de Patpong trop d'argent. Aller avec farangs. Thaï landais aime l'argent de la femme. Farang donne l'argent à la femme mais Thaïlandais veut mon argent. Je regarde mec bien. Il a beaux vêtements, sent pas mauvais, dit pas de conneries et pas un poivrot. Vieux. 35 à 40 ans, c'est bien. Jeune veut baiser pour rien. Vieux mec comprend très bien. Jeune mec, fait l'amour gratuitement. Il pense doit pas payer.

A quoi penses-tu lorsque tu leur fais l'amour ?

Je pense à faire les courses. Acheter de l'or. Ou bien je pense à rien. J'aime pas. C'est pas du plaisir.

Que racontent les étrangers à propos des étrangères ?

Ils disent: «les farangs, gros minou qui sent fort ! Trop grosses ! Trop de poils ! Seins longs ! Pas fidèles.»

Fille de bars, c'est un bon ou un mauvais boulot ? Que dirais-tu à une nouvelle recrue ?

Je dis rien. Certaines aiment. Certaines aiment pas. Je veux 5 millions de bahts et j'arrête. J'ai maison, buffle. Mais maintenant, je veux argent parce que je veux arrêter travail. Si farang envoie argent, travaille peut-être pas trop longtemps. Peut-être encore deux ans parce que j'ai deux hommes qui envoient l'argent maintenant.

Qui est le patron, toi ou le client ?

Moi, 80%. Lui, 20%. Mais je fais croire lui patron, comme ça j'ai plus d'argent.

Quel genre de problèmes rencontres-tu dans ton travail ?

Parfois, c'est la bagarre avec le petit copain. Parfois, la fille pas d'argent. Parfois, la fille pense à famille. Parfois, devient dingue d'amour. Mais pas moi. Je m'en fous toujours. Une, ma copine, suicidée. Pendue. Elle a même nom que moi. Elle prenait des comprimés et la ganja. Dingue. Pense trop. Tu regardes sa *main (elle montre son poignet*), tu vois des coupures comme ça ! (*Elle fait semblant de se trancher le poignet avec un ongle.*) Mais qu'est-ce que je peux y faire ? Je pense ça: quand j'ai pas mal d'argent, un bon paquet, j'arrête.

Est-ce qu'il y a d'autres problèmes ?

Dingue veut faire l'amour par *là (elle montre son derrière*). Je dis pas possible. Je suis pas comme garçon.

Aimerais-tu aller à l'étranger, peut-être en Europe ?

J'ai peur. Peut-être quelqu'un me vend. Pas sûre. Si mariée, je pars.

Te souviens-tu d'un client inhabituel ?

Un homme très comme il faut. Beaucoup d'argent. Veut une fille faire pipi et il boit.. Et fille tape avec chaussure pendant qu'il se masturbe. Fait pas l'amour. Se masturbe. Trois filles, un seul homme... *(Puis elle commence à expliquer quelque chose en faisant des gestes obscènes, mais la musique dans le bar est trop forte pour pouvoir entendre.*) Il voulait pas filles le touchent. Je sais pas pourquoi. Homme très bien. Très bel hôtel. On le frappe avec chaussure. Je m'inquiète pour lui. Sang sur la bouche. Homme très bien. Quand il venait au bar, jamais regardait le visage des filles, juste leurs chaussures.

(*Du doigt, elle désigne la scène sur laquelle danse plusieurs filles portant des talons hauts.)* 5000 bahts par fille. Je suis allée trois fois avec lui. Il voulait que je pisse dessus. J'ai bu beaucoup mais j'ai pas pu. Lui Américain. 28 ans. Pas de lettres. Rien. Je m'en fais pour lui. Pourquoi ? Pourquoi ? Je crois pas il est fou. Je sais pas. La femme en train de le boxer.... J'ai pitié. (*Elle se frappe violemment le plexus, tout en poursuivant*) une fille le tape pendant qu'une autre lui saute sur l'estomac.

Les femme étrangères viennent-elles ici ?

Femme farangs entrent, regardent et achètent les filles. Je peux pas. Parfois, mari entre avec sa femme et prend une fille pour une passe à trois. Moi, je peux pas manger le minou parce que je suis fille. Elle fille. Peux pas.

❧❧❧

Ma chérie,

Alors que je rédige cette lettre, mon coeur est si lourd et ma tristesse si profonde, que j'ai du mal à voir la page sur laquelle j'écris. Ce que j'ai à te dire est très difficile et je le sais, va te faire beaucoup de mal. Mais souviens-toi que je t'aime très fort et je reste attaché à toi par les fibres de mon coeur.

Chérie, la décision que j'ai pris me rend terriblement malheureux et triste. Pardonne-moi ma chérie, je t'en prie. Je ne peux plus t'envoyer d'argent et crois-moi, ça me fait très mal d'avoir à te le dire.

J'y suis obligé parce que j'ai beaucoup d'ennuis financiers en Australie. Je dois commencer une nouvelle vie. Une vie pour moi-même. Et j'ai besoin pour cela de tout ce que je gagne.

Je suis très seul et malheureux à cause de ça. Je dois également trouver une nouvelle maison, car j'ai laissé tous mes biens à mon ex-femme dans la procédure de divorce. Je voulais qu'elle ait un toit. Je dois aussi m'occuper de ma famille. Mon deuxième fils ne trouve pas de travail en Australie, aussi je dois beaucoup l'aider en ce moment.

Chérie, je t'aimerai à jamais, et un jour, dans un avenir proche, je veux que tu deviennes ma femme. Je sais que cela doit te briser le coeur parce que je sais que tu m'aimes.

Je pleure beaucoup à l'idée de faire ça. Mais c'est la seule façon de pouvoir être de nouveau réunis. J'ignore ce que tu vas devoir faire pour vivre. Pour construire ta vie. Mais rappelle-toi que quoique tu fasses, mon «amour» pour toi «ne cessera jamais.»

«Je t'aime» chérie, jusqu'au plus profond de mon coeur. Mon désir ardent ne cessera jamais.

Je t'en supplie, ne me vois comme un homme cruel à cause de ce que je dois faire. Il faut se donner du temps et tout ira bien. Pour nous deux. Chérie, mon amour. Si tu dois faire ce que tu dois faire, s'il te plaît, n'oublie pas que mon amour est pour toujours et à jamais.

Jusqu'à ma mort. Mais il va falloir du temps avant que je puisse revenir.

Chérie, je ne te téléphonerai plus, mais je t'écrirai toujours des lettres d'amour. J'espère qu'après cette lettre, tu m'aimeras toujours.

Sois sure d'une chose. J'essaierai de venir en Thaïlande pour te voir et te demander pardon pour ce que j'ai fait.

Je t'en prie, ne me déteste pas. Je t'aimerai toujours. Je t'épouserais lorsque ma vie sera en place et que je pourrai t'offrir la vie que tu mérites.

J'espère pouvoir faire tout ça aussi vite que possible. Je te demande de m'attendre. Mon amour pour toi est tellement grand que de plus en plus de larmes viennent à mes yeux.

Je t'aimerai toujours, ma petite chérie, mon coeur. Je porterai toujours ton collier autour de mon cou pour pouvoir l'embrasser tendrement à chaque instant.

Ne sois pas triste, s'il te plaît. Restons en contact avec les lettres.

Je t'en enverrai chaque semaine. Pour te dire mon profond amour et tout ma peine pour ce que j'ai fait.

Je le fais par amour chérie, et si je ne le fais pas maintenant, je ne sais pas quand je serai capable de vous prendre, toi et ta fille, en Australie avec moi.

Je suis si malheureux de ce qui arrive, mais je n'ai vraiment pas d'argent.

Reste en contact si tu m'aimes. Moi, je t'aimerai toujours et t'écrierai. J'essaierais même de venir pour les vacances si je peux.

Chérie, mon amour est chaque jour plus fort. Je ne t'oublie pas comme j'espère que tu ne m'oublies pas. Mon amour.

Je t'en supplie, pardonne-moi. Je t'aime sincèrement. Je t'écrirai bientôt. Si tu vois mon copain, il te dira comme je t'aime.

A toi, pour toujours.

❧❧❧

Chérie,

Il doit être 1h10 du matin à Bangkok et je pense à toi. Tu dois être en train de dormir à cette heure. (Je l'espère.) Il est 7h10 du soir pour moi en France. Je suis assis a mon bureau après une longue journée de travail. Je me sens très seul. Tu me manques tellement. Je vais bientôt rentrer à la maison. Mais personne ne m'attend. Alors je vais me préparer un repas solitaire puis, peut-être, regarder un peu la télévision et penser beaucoup à toi. Pourquoi sommes-nous séparés ?

Vendredi dernier, mon amie m'a demandé ton adresse et numéro de téléphone. Il se peut qu'elle t'appelle bientôt. Elle t'aime beaucoup et elle est impatiente de te revoir. Elle a été en Italie avec une amie il y a quelques semaines. Elle aurait bien voulu que tu sois là pour faire des courses !

Comment vas-tu mon amour ? Est-ce que tout va bien ? J'espère recevoir très bientôt de tes nouvelles. Je sais que ce n'est pas facile pour toi et que tu dois faire écrire la lettre par quelqu'un d'autre. Que ça coûte de l'argent aussi. Mais je suis tellement heureux de recevoir une lettre de Thaïlande ! Chaque matin, quand je pars au bureau, je jette un coup d'oeil dans ma boîte aux lettres en pensant: «je vais peut-être avoir une lettre d'elle aujourd'hui...», parce que c'est une telle joie d'en recevoir une...

Comment va la santé ? Est-ce que ça va mieux ? Est-ce que tu as demandé au médecin le nom de ta maladie ? Souviens-toi que j'ai besoin de cette information pour bien me faire guérir moi-même. Je ne perçois aucun symptôme pour l'instant et je voudrais suivre un traitement si nécessaire.

Ma douce Thaïlandaise à l'adorable sourire, je t'aimerai pour toujours et je ne te laisserai jamais tomber. J'attends avec impatience le jour où l'on va pouvoir se retrouver.

Plein de bisous. Beaucoup d'amour, de la part de ton fidèle ami français. Pense à moi de temps en temps !

Chérie,

Je suis à présent en Australie et je ressens la même chose qu'à Bangkok, pendant les derniers jours passés sans toi, et ce vendredi où je suis venu te dire au revoir. Ce jour là, j'ai compris que ce que je ressentais pour toi allait au-delà du «je t'aime bien.» Aujourd'hui, je suis certain que ça va beaucoup plus loin: tu me manques tout le temps. J'ai une sensation désagréable dans tout le corps. Surtout à l'estomac. Mais ça va aller de mal en pis, parce que je ne sais pas exactement ce que tu penses de moi. Tu as dit des tas de fois que tu m'aimais bien. Que tu étais même amoureuse de moi. Mais je n'ai pu voir dans tes yeux si c'était la vérité ou non. JE L'ESPÈRE VRAIMENT, je n'en suis pas sûr.

Je me suis dit aussi que j'étais dingue de tomber amoureux d'une femme comme toi. C'est toi que je veux, mais mes chances sont très minces comparées à tous ces autres hommes beaucoup plus riches que moi. Mais je continuerai à t'aimer, tant qu'il y aura un peu d'espoir. Jusqu'à ce que tu me dises: «va-t-en !» Ou bien: «je ne t'aime pas !» Je me battrai pour t'avoir. Je suis comme ça. J'ai senti ton corps magnifique, goûté ta peau douce. Ce parfum ne quitte pas mon esprit. Je ne l'oublie pas et je le veux à nouveau. J'ai dit que j'é tais dingue (de toi) mais il n'y a pas que ton corps que je veux. Je te veux toute entière. Avec tes rires, tes pleurs. Te sentir à mes cotés. Parler avec toi, être heureux et être triste avec toi.

Peut-être que tu vas rire de ces mots, mais je m'en fiche. Je veux que tu saches ce que je vois et ce que je ressens. Tu peux me croire, c'est la vérité. Je ne plaisante pas avec ces choses-là. Je ne les prends pas à la légère. Je n'attends que ton signal. Quand je pourrais être certain que c'est moi que tu veux, je pourrais commencer à nous construire une vie à tous les deux.

A l'heure qu'il est, je ne sais pas comment réaliser tout ça. Où nous pourrions vivre et comment nous construirions un avenir à tous les deux. Mais j'ai des tas de projets. Le principal est cette affaire que je veux monter avec mon ami à Bangkok. Nous savons lui et moi, exactement ce que nous voulons faire à Bangkok. Mais je ne veux pas en parler dans une lettre. Quand je pense à toi et moi, je crois beaucoup à ces projets. Je sais que c'est possible si on essaie ensemble. Je serai même prêt à te faire venir avec moi en Allemagne, quand je serai sûr de ton amour ! Te souviens-tu de ce que nous a dit cette vieille femme, dans la maison de ta soeur ? Elle a dit que je devais t'emmener avec moi en Allemagne. A ce moment là, ça m'a fait rire plus qu'autre chose, mais maintenant, je pense sérieusement à le faire. C'est pour ça que je suis dingue: dingue de toi.

Parfois, le soir, quand je me couche, je ferme mes yeux et je pense à toi. Puis j'essaie de te voir. Ta photo, tes différentes expressions. En couleur, avec ce chapeau que tu portes sur la photo que j'ai. Avec la coupe de cheveux que tu as quand tu travailles. La tête endormie que tu as quand tu te réveilles le matin. Quand tu es en colère, avec un diable dans les yeux. Et surtout, quand tu me dis, tout d'un coup, que tu m'aimes à la folie.

Je n'arrive pas tout le temps à voir ces photos. Mais parfois, lorsque j'y arrive, je te vois comme si c'était la réalité. Ces instants sont si beaux que je peux m'endormir sereinement. J'arrive à te voir de là où je t'écris. Mais tu me manques et je t'aime sans pouvoir te voir réellement, te sentir, ni mettre ma peau contre ta peau.Te sentir et te goûter... Je ne peux pas poser mes mains sur ce corps si lisse et cette peau si douce. Je ne peux pas poser ma tête près de ton estomac (je ne connais pas le bon mot pour cette partie du corps) et écouter à l'intérieur de toi. Je ne peux pas me reposer dans tes bras et ne plus penser à rien. Juste être heureux et rêveur à coté de toi.

De ne pas avoir tout ça est très douloureux.

Je compte les jours en attendant de te revoir. C'est inespéré de retrouver toutes ces choses merveilleuses.

Je pourrais écrire des pages et des pages remplies de belles choses. Mais chaque mot que j'écris accentue le manque et ma douleur. Je t'aime tellement que je crois que je me suis perdu en toi. Je ne voulais pas en arriver là avant d'être sûr de ta sinçérité avec moi. Mais je ne peux pas aller contre mes sentiments. Tout ce que j'ai à présent en moi est cet espoir que tu m'attends et que bien sûr, tu m'aimes autant que moi je t'aime. J'espère que tu aimes cette lettre. Que tu me crois. Que tu comprends que je suis sincère. (J'ai écrit deux lettres avant celle-ci, mais elles étaient trop confuses et pas aussi belles. Je te les montrerai à mon retour.)

Bon, je t'envoie plein de doux baisers, accompagnés de mon amour. Avec l'espoir que tu l'acceptes.

Je t'aime plus que tout le reste et je ne veux rien d'autre que toi.

Fais attention à toi.

Bonjour ma chérie !

Merci pour ton coup de fil. Je sais que c'est tellement cher pour toi ! La prochaine fois que je veux t'entendre, je te téléphone.

Quand tu m'as téléphoné, j'ai bien entendu que tu étais fâchée. Ma chérie, si tu ne veux pas réellement venir me voir, dis-le moi. Je ne suis pas en colère. Ça me fait de la peine mais j'essaie de te comprendre. C'est facile pour moi de t'aimer comme ça, très longtemps. Mais je sais que ce n'est pas facile pour toi de «me donner un vrai amour.» Peut-être que tu t'es mis dans la tête de venir ici pour deux ou trois mois. Juste pour jeter un coup d'oeil et ensuite retourner en Thaïlande. Peut-être que tu ne veux pas vraiment venir ici et que tu attends un autre homme. En tout cas, s'il te plaît, viens SEULEMENT quand tu seras prête à m'aimer.

Je ne peux pas deviner ce que tu as dans la tête, mais je peux savoir lorsque tu es heureuse ou non. Moi, je ne suis heureux que lorsque tu es heureuse. Je veux que tu saches ce que je pense: on pourrait peut-être essayer de vivre ensemble longtemps. Pas seulement deux ou trois mois. Même si je sais que c'est pas si facile parce qu'on ne parle pas très bien l'anglais. Mais on peut essayer de le faire par amour.

C'est la première fois que je demande à une fille: «viens me rejoindre». Je te le demande aujourd'hui, mais ce sera la dernière fois.

Je sais que tu n'aimes pas parler du Sida mais je dois t'en parler.

Ma chérie, fais attention et crois-moi, si tu n'as pas besoin, ne le fais pas.

Si tu veux vraiment venir me rejoindre, je veux t'aider à arrêter la baise. Tu peux peut-être rester quelques mois chez ton amie et arrêter de louer ton appartement. Je t'envoie l'argent pour la nourriture. Je pense aussi que tu ne devrais pas faire de grande fête pour ton anniversaire. Attends-moi. Quand je suis à Bangkok, on peut faire des grandes fêtes. Autant que tu veux. Si tu veux vraiment que je vienne en mai et que je t'aide à obtenir un bon visa...

Je pense que tu pourras avoir le meilleur visa si tu m'épouses en Thaïlande. Tu peux voyager et entrer en Allemagne sans problème. Je veux que tu réfléchisses à cette lettre et que tu écrives plus souvent, pour me dire ce que tu penses vraiment de moi. Ce que tu veux aussi.

Quand tu m'as téléphoné, tu m'as demandé, est-ce que tu travailles en ce moment ? Je ne sais ce que tu as derrière la tête, mais sois sûre d'une chose: quand je suis en Allemagne, je travaille ! Je suis Allemand. Je travaille dix heures par jour et je n'ai que le dimanche pour rester à la maison. Je ne bois pas beaucoup. Je ne passe pas mon temps au lit parce que j'ai besoin de beaucoup d'argent pour vivre. Ça fait trois semaines que je travaille. Je vais arrêter bientôt. C'est sûr.

Mais maintenant, je veux savoir pourquoi tu n'es pas heureuse de venir me rejoindre ?

Ma chérie, laisse-toi aller. Viens à moi. Je t'aiderai pour tout parce que je veux que tu sois heureuse.

Je t'aime très fort. Je veux que tu restes longtemps avec moi.

Avec tout mon amour.

J'espère que l'argent est arrivé.

À ma chérie adorée,

Je suis sincèrement désolé de ce qui arrive. Et cela me fait d'autant plus mal que je reste persuadé que tout cela n'est rien d'autre qu'un stupide malentendu. Si j'ai bien compris, tu es donc en colère contre moi parce que tu crois que j'ai pu penser que tu ne m'aimais pas moi, mais que tu n'aimais que mon argent.

C'est complètement ridicule.

Comment aurais-je pu être aussi insensible et stupide pour penser une chose aussi dénuée de sens?

Le fait que tu sois si fâchée et blessée par une idée aussi bête est, en lui-même, la preuve du contraire.

Ce que je peux détester l'argent lorsqu'il s'immisce entre les êtres pour briser des liens comme l'amitié ou l'amour. Ce sont les plus remarquables des sentiments humains et ils ne devraient pouvoir être comparés à ces illusions matérielles, terre-à-terre que sont la propriété, la possession ou l'argent lui-même. Mais bien pire, c'est ce malentendu entre deux personnes qui s'aiment. De tels malentendus peuvent générer des décisions hâtives et erronées qui condamneront deux individus à toute une vie de souffrance et de regrets. Simplement parce que la fierté et l'auto-protection n'autorisent aucune explication à la controverse.

C'est la raison pour laquelle je veux que cette lettre te soit traduite en thaï. Que tu puisses ainsi clairement comprendre ce que je pense. Ce qui peut être vital pour tous les deux: je jure n'avoir jamais eu une idée aussi stupide et malsaine. Tu as mal compris les mots que j'ai pu dire. La raison de ce malentendu vient certainement du fait que tu es, toi-même, incertaine de mes sentiments à ton égard.

Chérie, je t'aime. Sincèrement et fidèlement. Et j'ai bien peur de t'aimer à jamais. Même si tu rompais les liens. Même si ma raison me dictait de t'oublier, comme un rêve impossible qui doit être chassé de l'esprit, mon coeur et mon âme se souviendraient toujours. Ton sourire limpide, ton éblouissante grâce hanteraient ma mémoire jusqu'à la fin de mes jours.

Ma douce amie, je pourrais donner mon bras droit pour un de tes sourires. Comme un arc-en-ciel au travers des nuages, après l'orage. Je donnerais ma vie pour ton amour. Je pourrais être ton chien, juste pour avoir le droit de lever les yeux vers toi.

Aujourd'hui, je vais me rendre dans un temple pour ouvrir mon âme et mon coeur à ton dieu Bouddha. Je lui demanderai, si j'ose, de calmer ton injuste colère. De te rendre heureuse et, si possible, de t'ouvrir les yeux sur les sentiments que j'éprouve à ton égard.

Si je ne peux te voir avant mon vol de retour, ce dimanche. Ou si je ne peux te donner cette lettre moi-même, mon ami te la fera parvenir, ainsi que mon adresse. J'espère vraiment que tu m'écriras et que tu pardonneras ma maladresse de farang, autant que les blessures que j'ai, sans le vouloir, infligées à ton coeur.

Ton farang qui t'aime et qui veut te servir pour toujours.

Je serai de retour très bientôt.

Salut !

J'ai trouvé ton adresse dans un journal local et j'ai pensé ça serait sympa de t'écrire. Je suis allé plusieurs fois en Thaïlande. La dernière fois remonte à douze mois et je peux dire que j'aime les Thaïlandaises !

Malheureusement, la plupart des filles que j'ai rencontrées parlaient TRÈS PEU anglais. Il était donc difficile de communiquer.

J'ai la quarantaine passée et je suis mince. J'ai une petite affaire qui prospère ici, en Nouvelle-Zélande. Je possède aussi deux belles maisons. Je n'ai pas de problèmes financiers. Je ne fume pas, ne bois pas. Je me lie facilement. Ça ne me dérange pas si ma petite amie fume ou boit modérément.

J'aimerais trouver une Thaïlandaise mignonne et très sexy pouvant parler un peu anglais et qui recherche une relation durable (pourquoi pas un mariage ?) avec quelqu'un comme moi.

Si tu travailles actuellement comme fille de bars à Patpong, c'est parfait pour moi, j'aime ce genre de filles !

Si ce que j'ai écrit dans cette petite lettre a retenu ton attention, merci de me répondre immédiatement et de m'envoyer ta photo (la mienne est jointe à cette lettre.) Puis je t'écrirai à nouveau pour t'en dire plus sur moi.

Sincèrement.

❧❧❧

Bonjour ma petite sexy !

C'est le beau gentleman Suédois qui t'écrit à nouveau. Ta réponse est arrivée très vite et je t'en remercie, car à vrai dire, je ne m'attendais pas à en recevoir une. Cela m'a donc rendu très heureux.

Voici ton argent. Je t'envoie un peu plus que 300 baths parce que tu as dû attendre. Cela doit faire 500 ou 600 baths, OK ? Donc, maintenant tu me dois une passe gratuite. Ah ! Ah !

Voici une photo de toi. Une très bonne photo, franchement. Une des plus belles photos de nanas que j'ai. Tu es très, très mignonne dessus et je suis très fier de la montrer à mes amis.

Je travaille dur en ce moment mais je ne me plains pas car je gagne bien ma vie. J'ai beaucoup de dettes à la banque mais j'espère avoir assez d'argent pour venir bientôt à Bangkok. Il est possible (c'est seulement une éventualité) que je revienne très bientôt acheter des vêtements, pour les vendre en Suède. Cela dépend de mon copain.

Si c'est possible, je vais donc revenir et on va pouvoir avoir du bon temps tous les deux. C'est tentant, non ? Tu aimeras, j'en suis sûr. Parfois, je suis triste de savoir que je te manque tellement, et qu'il doit être très dur de rester aussi longtemps séparé de quelqu'un qu'on aime si fort ! Ah ! Ah ! Ah !

Tu trouveras un billet de 10 baths dans mon portefeuille. Prends-le et achète un timbre. Comme ça, tu pourras m'écrire. J'aimerais vraiment avoir bientôt de tes nouvelles. Je t'envoie une cargaison de bisous.

Affectueusement.

Chérie,

C'est bon d'avoir de tes nouvelles. J'ai presque pu voir ton visage et sentir ton corps en lisant ta lettre. Comment as-tu pu me lire en anglais ? Et comment as-tu pu m'écrire ? Si tu le souhaites, je t'enverrai un dictionnaire thaï-anglais, pour que tu puisses apprendre l'anglais.

Je vais BIENTÔT à Bangkok pour le travail. Je resterai aussi longtemps que je veux. Je veux passer tout mon temps avec toi. On pourra passer beaucoup de temps ensemble cette fois. On pourra aller dîner au restaurant, nous baigner dans la piscine et passer les nuits ensemble.

On parlera aussi de ta visite chez moi. Je peux te montrer l'Amérique. Et si tu viens en hiver, tu pourras voir la neige. Rien n'est plus beau que de regarder, le matin, par la fenêtre, l'herbe et les arbres recouverts de neige. A part te regarder toi. Peut-être que je t'emmènerai avec moi pour des vacances. Nous en parlerons.

Quoiqu'il en soit, tu me manques. J'aimerais que tu sois étendue près de moi. J'ai un matelas à eau. J'ignore si tu as déjà dormi sur un matelas à eau, mais c'est très relaxant et confortable. Si tu étais là, je t'embrasserais, te masserais, et je laisse la suite à ton imagination.

Je voudrais que tu m'écrives pour m'indiquer comment te trouver quand j'arrive. Je ne peux plus attendre. J'ai CONNU BEAUCOUP de femmes en Amérique, mais aucune comme toi.

Tu as quelque chose de particulier. Je te ferai bientôt parvenir une photo de moi.

A bientôt.

Bises.

❧❧❧

Chérie,

Surprise de recevoir de mes nouvelles ? Je ne sais même pas si tu te souviens de moi. Je suis celui qui est venu au Peppermint Bistro avec toi et ta copine. Tu te souviens ?

Pardon de ne pas avoir écrit plus tôt. Après Bangkok, je suis allé à Hongkong puis au Japon. Je ne suis de retour que depuis une semaine et ai été très occupé à finir mes rapports.

Prends-tu toujours un bain tous les soirs?!!!! Je suis heureux que tu m'aies donné ton adresse avant de partir. Je voudrais te revoir à mon retour à Bangkok.

Je ne t'ai pas oubliée. Ni toi, ni les choses que l'on a fait ensemble. J'espère que tu te souviens de moi. J'ai peur que tu connaisses tellement d'hommes qu'il te soit impossible de te rappeler qui je suis.

Me ferais-tu une faveur ? J'aimerais, si tu le peux, que tu m'envoies une photo de toi. Si tu m'écris, s'il te plaît, envoie une photo.

J'espère que tu m'écriras. J'ai beaucoup pensé à toi depuis mon départ de Bangkok. J'ignore si cette lettre te parviendra. J'ai inscrit l'adresse que tu m'as donné. J'espère qu'elle arrivera jusqu'à toi.

Je dois te laisser maintenant. Pardon mais je suis très occupé et je dois être prêt pour mon voyage aux USA, la semaine prochaine. Je devrais y rester une semaine ou deux avant de revenir en Corée. Fais attention à toi et envoie, s'il te plaît, une photo de toi.

❧❧❧

Chérie,

J'ai reçu ta lettre et j'étais très content d'avoir une réponse si rapidement. Je suis heureux que tu aies reçu ma lettre car j'avais peur que tu sois partie et que tu ne la trouves pas.

Tu as raison, il fait encore très froid ici. Il ne fait pas plus de 5 degrés la journée. Je ne me suis toujours pas réhabitué au climat, même s'il n'a neigé qu'une seule fois depuis mon retour. J'aurais souhaité rester un mois de plus en Thaïlande avec toi au lieu de revenir ici comme je l'ai fait. Tu es si chaude, adorable et sexy. Je pense souvent à toi . Ta peau, belle et douce, me manque.

As-tu déjà essayé d'obtenir un passeport ? J'espère vraiment que oui. Pour que tu puisses me rendre visite pendant une semaine ou deux, ou aussi longtemps que tu veux. Je suis certain de pouvoir me débrouiller pour obtenir un visa à toi et à ta soeur, si elle veut t'accompagner pour que cela soit moins difficile pour toi. Il me semble t'avoir déjà dit que la meilleure période pour venir est en juin, en juillet, ou en août. Donc, j'espère que tu te décideras à venir me rendre visite.

Je voulais te dire que j'étais désolé de t'avoir menti lorsque je suis rentré du Cambodge.

Et que cela te fâche contre moi, cette nuit à l'hôtel. La fille au Cambodge ne signifie rien pour moi. Toi si. J'espère que tu m'as pardonné.

J'espère que tu te portes bien. Que toute ta famille est en bonne santé. Dis bonjour pour moi à ta soeur.

Écris-moi, je t'en prie. Fais-moi savoir comment ça va, ainsi que tes projets concernant ton voyage par ici. Autrement, je devrai m'organiser pour te rendre visite en Thaïlande les prochains mois.

Je t'aime.

xxxxxx

P.S.: J'ai toujours ta culotte noire pour ne pas t'oublier.

Chérie,

Sawadee, ma bonne amie. J'espère que tout va bien pour toi.

Je vais quitter mon boulot en Australie pour venir vivre à Bangkok, dès que j'aurai tout arrangé ici.

Si je trouve un travail à Bangkok, peut-être pourrions-nous partager un appartement pour que tu n'aies plus à travailler au Rififi.

J'ai tout dit à ma femme. Je vis désormais pour moi-même. Je ne pourrai vivre avec personne d'autre que toi.

Au moment où tu recevras cette lettre, mon ami sera sûrement déjà passé à Bangkok, et t'aura remis ma lettre précédente.

Prends soin de toi.

❧❧❧

Bonjour toi !

J'espère que ça va toujours ? J'ai reçu ta photo sexy, avec ce très beau sourire et ce corps si sexy. J'aime ça: beauté et joie de vivre. Je ne sais pas si tu as reçu ma lettre. Si ce n'est pas le cas, je te dis à nouveau que je ne sais pas quand je vais pouvoir revenir à Bangkok. Bientôt, j'espère. Je veux que l'on soit de nouveau réuni. J'aime quand tu me prépares des repas. Je veux aussi que tu me fasses l'amour. Qu'en dis-tu ?

Et si tu es très gentille, c'est moi peut-être, qui te préparerais des repas. Bientôt, peut-être. Tout dépend de mon putain de boulot. J'espère que tu m'attends. Vas-tu souvent au King's Lounge ? Si c'est le cas, fais attention aux Européens. Et quand tu utilises un préservatif, il ne doit servir qu'une seule fois, tu comprends ? Je m'en fais pour toi. Crois-moi.

Tu as quelque chose à me dire...? Quoi ? Tu me demandes aussi si je me souviens du bain qu'on a pris ensemble ? Je ne vois pas ce que tu veux dire ? Dis-moi !

Bon, maintenant, je vais écouter un peu de musique thaïlandaise et aller me coucher parce qu'il est tard. Je commence le travail tôt demain matin.

Dis bonjour à ton fils pour moi. A tes amis aussi.

Je pense à toi tous les jours.

Tu me manques.

❧❧❧

Chérie,

Je m'occuperai très bien de toi parce que je t'aime. Sois juste un peu patiente (attends un petit peu plus) et ne t'en fais pas. Je ne veux pas avoir une chérie triste quand je viens à Bangkok, la prochaine fois.

Je pense rester trois semaines à Bangkok la prochaine fois. On pourra avoir du bon temps tous les deux. Je vais aussi essayer de trouver un boulot (travail) la prochaine fois à Bangkok. Je veux vivre et travailler en Thaïlande.

Aussi chérie, ne t'en fais pas à cause de ce que tu fais. N'ai pas honte. Hubert comprend. Je sais ce que tu fais dans le bar. C'est comme ça qu'on s'est rencontré. Ça ne fait aucune différence pour moi. J'ai de l'amour pour toi. Donc ça n'a pas d'importance.

Je te demande seulement de faire attention quand tu fais l'amour. Je ne veux pas que tu attrapes une sale maladie. (Le Sida est très dangereux. Si tu l'attrapes, tu meurs.)

C'est pourquoi, fais bien attention à ce que les types mettent un préservatif. Je ne veux pas que quelque chose t'arrive.

Je t'enverrai bientôt quelques cadeaux. J'espère que tu as reçu ta poupée koala. Je l'ai envoyée dans une grande boîte au Rififi. J'essaierai de faire quelque chose pour ton compte en banque quand je serai à Bangkok. Tu n'as plus qu'un mois à attendre. La dernière fois que je suis venu à Bangkok, j'avais plus d'argent. Cette fois, je ne serai pas très riche.

Malgré ça, je m'occuperai bien de toi et t'aiderai un petit peu. Excuse-moi, mais c'est comme ça. Je m'en fais toujours pour toi. (Autrement, je ne perdrais pas mon temps à t'écrire.)

Je suis vraiment fou de toi. Je sais que tout ne s'est pas toujours bien passé entre nous, mais j'ai oublié ça. Je ferai de mon mieux pour t'aider.

Je te dis au revoir à présent. Avec tout mon amour et j'espère te revoir très bientôt.

Je devrais arriver au Rose Hotel entre 2h15 et 2h30 DU MATIN très tard vendredi. (En fait, ça sera plutôt très tôt samedi matin.) Je quitte l'Australie à 4h00 de l'après-midi.

Je serai probablement très fatigué en arrivant à Bangkok. Peut-être voudras-tu me faire un bon massage.

Plein d'amour. A bientôt, chérie. xxxxxx

Mon grand amour,

Sabaï Sabaï ! J'ai lu ta lettre aujourd'hui et elle m'a donnée encore beaucoup de courage. Je suis toujours impatient de recevoir tes lettres. Même si nous nous trouvons à des milliers de kilomètres l'un de l'autre, elles me rapprochent de toi. Tu me manques beaucoup, beaucoup, beaucoup. Je pense réellement à toi TOUS LES JOURS.

Mon travail a été très pesant depuis que je suis rentré. Mais je serai de nouveau occupé cette semaine. Je m'en fiche. Quand je suis occupé, je peux oublier que je suis ici et les jours sont plus courts lorsque je travaille.

J'ai été très heureux d'apprendre que tu travaillais comme serveuse. Je ne peux pas supporter de voir tant de filles ravissantes faisant semblant de s'amuser avec d'horribles farangs !

Mais tout est si différent en Thaïlande. Crois-moi. Je ne me permets aucun jugement. Je n'en ai pas le droit. Je ne comprends ni ta vie, ni ta situation. La seule chose qui soit claire, c'est ton honnêteté et ton amour. Chérie, tu as bon coeur et je te souhaite la meilleure vie qui soit. J'aimerais être avec toi MAINTENANT !

Tu me poses des questions concernant ma famille. Très bien. Je vais te dire. Mais c'est très compliqué. Je ne connais ni ma mère ni mon père. J'ai été adopté par de nouveaux parents. Lorsque j'étais très petit, j'ai eu un frère et ma mère est morte peu de temps après. Mon père s'est remarié et j'ai une soeur que j'aime très fort.

Écris-moi, s'il te plaît, pour me parler de ta famille ainsi que du nord de la Thaïlande. Je souhaite vraiment en savoir plus sur toi. Je te souhaite plein de bonnes choses et espère que toute ta famille se portera bien lorsque tu la verras.

Au moment où tu quitteras Bangkok, tu auras reçu de l'argent (3000 bahts) qui, je l'espère, t'aidera un peu.

❧❧❧

Ma chérie,

J'ai reçu ta lettre aujourd'hui. J'ai téléphoné aujourd'hui, comme tu me l'as demandé.

Ton amie a dit que tu étais ailleurs. Peut-être à Singapour.

Tu m'avais promis de rester à la maison et de t'occuper de ta fille.

J'ai bien l'impression que tu as un petit ami. J'ai aussi l'impression que tes promesses ne valent rien du tout.

Explique-toi par retour de courrier.

❧❧❧

Ma chérie,

Reçu ta lettre merci. Dis-moi s'il te plaît:

1. dans quel bar travailles-tu? Est-ce que tu danses?

2. Pourquoi dis-tu que tu es enceinte de moi depuis deux mois, alors que la dernière fois que je suis venu à Bangkok remonte à deux mois et demi?

3. Pourquoi travailles-tu dans un bar? Tu m'avais promis que tu ne le ferais pas même si on se séparait. Ta soeur ne travaille pas dans un bar. Pourquoi toi? Est-ce que ça signifie que, tout ta vie, lorsque tu auras

un problème d'argent, tu iras coucher avec des types? Est-ce que tu crois vraiment que je peux être heureux tout en sachant ça?

J'attends une réponse honnête à toutes mes questions. De mon coté, ça va, mais je travaille dur tous les jours. J'espère que tu n'as pas attrapé de maladies en travaillant dans les bars.

Je pense à toi mais je ne suis pas content.

P.S une lettre met sept jours pour arriver jusqu'ici.

Un lutin. Petite, elle a 23 ans et le sourire facile.

Moi, cinq ans à Patpong. Je vais aux conférences sur le Sida à Londres, à Victoria, au Canada, en Allemagne, aux Philippines. Je vais parler avec les femmes qui travaillent dans bars. Au Canada, beaucoup organisations travaillent pour Sida. Les gouvernements aussi. Je vais avec Empower (une organisation thaïlandaise de défense des droits de l'homme qui s'occupe des prostituées) Dans un groupe, au Canada, je parle ce qui arrive aux gens qui attrapent le Sida en Thaïlande. Si les gens ont le Sida, nous pas en sécurité. Si les gens ont le Sida, gouvernement dit prendre soin et vérifier tout; Je raconte. Je vais parler dans universités et grandes écoles. Ils savent pour le Sida. Mais ont pas peur parce qu'ils ont pas beaucoup de Sida. En Thaïlande, si quelqu'un a le Sida, certains vont à hôpital, certains vont en prison. La police te met là. Te laisse là. Tu vois pas famille. Police vérifie partout où tu vas.

Dis-tu à tes auditeurs que tu travailles également comme fille de bars ?

Pas beaucoup savent que je travaille dans un bar parce qu'on veut parler du Sida en Thaïlande. On dit: «Je viens des bars !» On dit seulement: «On sait comment travaillent les femmes dans les bars. On sait.» Quand il y a beaucoup de femmes, on dit: «Je travaille dans un bar.» Mais pas dans grandes écoles.

On a deux filles de Zambie et une du Canada. Son frère, mort du Sida. Suis invitée. Une autre du Zambie, elle a le Sida. Elle raconte ce qu'elle ressent. En Thaïlande, à Patpong, pas peur avant. Maintenant, elles ont peur. Maintenant, Sida plus important. Elles essaient de comprendre. Il y a des gens qui ne pensent pas à ça. Ils s'en foutent. Mais quelque chose a changé. De nouvelles personnes viennent de leur pays. Ils entendent. Peut-être, ils ont peur.

Que dis-tu si l'un de tes clients refuse le préservatif ?

Si je dis au client: «mets préservatif» et il met pas. Je sais pas comment faire. Je perds l'argent. Mais maintenant, j'ai entendu beaucoup de femmes dire: «mets un préservatif». Si client met pas, femme fait pas. Si c'est maintenant, je pense je m'en vais.

Mais des fois très difficile. Quand une fille a besoin d'argent. Peut pas dire non. Hommes disent: «si j'ai besoin préservatif, pourquoi je te prends ? Pas besoin de toi.» Ça veut dire, si je dis au client: «mets préservatif.» S'il a besoin préservatif, il a pas besoin femme. Peut-être, il aime pas ça. Certains disent: «c'est pas bon.» Certains disent ça marche pas avec préservatif. Pas pareil. Pas comme faire l'amour.

Est-ce que tu crois aux lettres que tu reçois ?

50/50.

Es-tu parfois tombée amoureuse de l'un des auteurs de ces lettres ?

Oui, avant. Terminé. Certains mariés. Ils m'aiment. Pas la réalité. Certains clients, jamais couché avec fille avant. Ils me voient. Quand ils rentrent, Ils ont fille. Trop difficile à croire. Beaucoup filles se marient. Connaissent le type juste deux semaines, trois semaines, se marient. Peut-être elles voient le type deux, trois jours et disent: «d'accord ! Fini le boulot à Patpong.» Et s'occupent du type.

Que racontent les hommes à propos de leurs petites amies étrangères ?

Des types disent: «grande fille» ou «grosse fille.» Peut-être une blague. Je sais pas. Disent: «j'aime mieux une Thaïlandaise !»

Connais-tu quelqu'un qui a le Sida ?

Jamais rencontré, mais j'ai entendu des filles ont le Sida quand on a eu une réunion sur les filles qui ont le Sida. Mais je vais pas parce que j'ai client. Maintenant, Sida pas bon.

A propos du Sida, quels conseils donnerais-tu à une nouvelle fille de bars ?

Si elle me parle, je dis des choses sur le Sida. On vérifie avec le gouvernement. Gouvernement vient dans le bar. Tester le sang. Ils disent rien. Si une fille a ou pas. On sait pas. Disent pas. Ils vérifient seulement. Mais beaucoup de filles font le test pour elles-mêmes. 200 baths. Gouvernement vérifie deux fois.

Sachant tout cela, que dis-tu à un client qui refuse le préservatif ?

Si j'ai pas d'argent, je pense je le ferai. Tant pis, s'il met pas le préservatif.

Pendant combien de temps vas-tu continuer à être une fille de bars ?

Je sais pas combien de temps.

Ton métier est-il agréable parfois?

Parfois amusant. Si on a un client et beaucoup d'amis viennent de pays différents. On a petit ami vient pour se marier, ou vieil ami ici. On s'en fout de l'argent. Pas obligée de travailler tous les jours. On reste avec client. Des fois, on a des vacances avec lui. Pas de travail. On va dans villes différentes. Il paie le repas. Paie tout, c'est OK. Pas de problème. Comme un jeu.

Et quand ce n'est pas drôle ?

Pas drôle, pas beaucoup d'argent. Des gens ont des problèmes dans la famille. Des filles ont deux enfants, trois enfants. S'inquiètent beaucoup. Il faut envoyer l'argent. Mettre à l'école. Acheter livres.

Certains clients te demandent-ils des choses folles ?

Ils veulent faire l'amour à mon cul. Je dis: «non, c'est pas pour faire l'amour !» Je prends mes affaires. Il comprend pas. Il arrête pas. Il veut toujours faire l'amour à mon cul. Il me fout sur le lit et dit: «reste ici !» Je dis: «OK, je te laisse faire l'amour à mon cul, tu prends douche, je reste là.» Quand il va prendre douche, je prends affaires et pars de hôtel. Il dit il m'aime pas mais il aime mon cul. Très amusant. Je raconte à cette Canadienne, parce qu'elle demande: «comment tu fais avec les types dingues ?» Tu regardes d'abord, si bon type ou mauvais type.

Que penses-tu de Empower ?

J'aime bien Empower. J'apprends l'anglais là-bas et je sais beaucoup plus de choses qu'avant. Je pense Empower bon endroit pour femmes comme nous. Comme moi. Plein de filles savent pas écrire thaï, parler anglais. Peuvent aller là. Des filles ont peur d'aller dans bureaux mais à Empower, tout le monde peut aller. Je comprends et je sais. Je suis allé dans beaucoup pays et j'ai appris plus. Comme je viens d'une famille pauvre, quand je suis aux Philippines, je sais eux, pauvres pareils. Quand je suis au Canada, je vois beaucoup de filles travaillent comme moi. Mais plus difficile que moi. Quand elles travaillent dans la rue, elles doivent rester debout dans le froid. Ici, il fait pas froid dans la rue. Elles doivent acheter plus de vêtements.

Comment voudrais-tu que soit l'avenir ?

Je veux justice pour femme. Que tout soit juste. Plus juste peut-être que les hommes.

Ma chérie,

Argent de décembre.
Aussi pour les dents.
Je t'aime.

Bonjour,

Toi, le rêve de mes nuits sans sommeil.

Recevoir ta lettre était le meilleur et le plus bel événement qui me soit arrivé depuis que je suis rentré sans toi en Australie !

Je n'ai jamais imaginé que tu enverrais réellement un message de Bangkok. J'étais donc d'autant plus heureux quand, attendant à la poste sans grand espoir d'avoir de tes nouvelles, le postier m'a donné cette lettre. Merci beaucoup.

Je pense souvent à toi. Tu me manques tous les jours. Comme je pense que tu ne m'attends pas et que tu n'es pas sincère avec moi, j'ai parfois de très tristes pensées. Parfois, je pourrais presque pleurer. Je ne sais pas pourquoi, mais je t'aime comme un fou depuis notre rencontre dans ce bar.

Nous avons passé des moments plus ou moins bons ensemble. Tu as dit cette chose terrible dans ta lettre: «je suis une fille de bars et je pense que personne n'est sincère avec moi.» Je comprends exactement ce que tu veux dire, mais je me fous que tu travailles dans ce Rififi Bar. Je tais rencontrée et j'ai compris que je t'aimais très profondément. Je suis sincère avec toi. C'est toi que je veux et si tu veux de moi, je te sortirais de ce bar !

J'ignore si ça va être difficile ou pas. Mais je sais que c'est possible si tous les deux (toi et moi), nous essayons ensemble.

❧❧❧

Destinataire: Siam Bayshore Resort Hotel

Pouvez-vous, s'il vous plaît dire à la fille qu'elle doit rentrer aujourd'hui à Bangkok. Je dois rester seul les derniers jours que j'ai à passer ici. Dites-lui qu'elle est mignonne et que je l'aime. Pourriez-vous également lui dire que je lui enverrai un chèque du Danemark d'environ 100 ou 200 dollars. Qu'elle s'achète un cadeau ou ce qu'elle voudra. Elle ne parle pas anglais.

ET J'AI BESOIN DE CONNAÎTRE SON NOM ET SON ADRESSE POUR LE CHEQUE .
Merci beaucoup.
P.S.: Elle quitte la chambre à 12h00.

Elle a trente ans et est encore séduisante bien que ses attraits aient commencé à se fâner. Ses cheveux, longs et volumineux, encadrent des pommettes saillantes alors qu'elle fume une cigarette. Elle est vêtue d'un T-shirt dont les manches sont roulées jusqu'aux épaules et d'un jean coupé au ras des fesses. Son regard se durcit à chaque fois qu'elle jette un oeil autour d'elle dans le café, cherchant parmi les visages des autres filles de bars et des clients.

Crois-tu les types qui t'écrivent des lettres d'amour ?

Non, jamais. Parce qu'il joue seulement avec moi. Je le sens. Rien ne vient du coeur. Je suis avec lui, je le sens pas. Pas tous. Certains sont OK.

Certains t'aiment-ils ?

Bien sûr. Un me dit qu'il m'aime beaucoup. Je crois que c'est vrai. Allemand. Nous sommes ensemble trois ans.

Est-ce qu'il t'aime ?

Oui, parce qu'on va à l'ambassade et qu'on va se marier après. Ambassade dit d'accord. Je peux avoir un passeport aussi. Alors on est content.

Quelles différences vois-tu entre les petits amis Thaïlandais et les petits amis farangs ?

Petit ami farang est vie plus facile. Farang a plus d'argent. Femme comme une prostituée peut pas avoir très bon petit ami thaïlandais. Un gars qui conduit une moto ou pas bon travail. Il y a pas d'amour pour la femme. Il veut juste la femme l'aider à gagner l'argent. Si je suis avec Thaïlandais, je vais jamais dans grands hôtels pour manger, ou en vacances. Jamais.

Comment es-tu devenue une fille de bars ?

Au début, je travaille dans centre commercial. Puis je change de métier. Vente de billets pour compagnie aérienne. Aux farangs. Commence à connaître farangs. Je commence à parler anglais. Alors, je travaille au bar du Superstar et chaque jour, farang dit: «je t'aime bien». Mais je sors pas avec lui. Tous les jours, je vois filles, oh, faire pas mal d'argent. Ça fait dix ans.

Comment s'est passée la première fois que tu as couché avec un client ?

Au début, j'ai un peu peur. Peur d'un homme je connais pas avant. Je vais avec lui. Qu'est qui va arriver ? Parler de quoi ? Quoi faire ? Comment ressentir quelque chose quand tu connais pas le type ? Après ça va. C'est sûr, c'est pas bon, mais c'est pour l'argent. Mauvais pour le corps. Mauvais pour le coeur. Ou des fois tu tombes amoureuse du type. Mais c'est pour vivre.

Comment les hommes de différentes nationalités se conduisent-ils ?

Le genre allemand, très mauvais. Traite pas bien la femme. Japonais, ça va. Américain (*rires*), Américain pense, il est très très haut. Grand pouvoir. Il dit ce qu'il pense, ce qu'il fait. Ça va, mais parfois ça va pas. Un Américain, très bon genre, costume cravate, entre dans le bar. Pareil un grand homme d'affaires. Je vais avec lui au Hyatt Hotel. Je vais dans chambre. J'enlève mes chaussures et je vais enlever mes habits. Il dit: «Non ! Non ! Non ! Enlève tes chaussures mais pas tes vêtements ! Et viens avec moi !» Je dis: «pourquoi ?» Il me fait marcher, marcher, marcher jusqu'à la piscine. Puis me fait marcher, marcher, marcher jusqu'à la chambre. Il dit: «allonge-toi sur le lit.» Il se met à me lécher les pieds. Ça chatouille. Je pense, si c'est juste ça, ça va. Si quelque chose plus bizarre, pas bon. Alors il commence à se toucher et puis c'est fini. 2000 bahts, une passe. Seulement pour me lécher les pieds. C'est mon histoire avec l'Américain. Parfois, farang est fou. Avec un autre farang, je m'allonge et il écrit sur mon dos: «baise-moi ma fille.» Et puis il me baise.

Pourquoi certains étrangers tombent-ils amoureux des filles de bars thaïlandaises ?

Parce que Thaïlande a très bon coeur. Prend bien soin et le type tombe amoureux. Elle dit tout pour qu'il tombe amoureux. Mais quand le type s'en va, il sait pas ce qu'elle fait. Elle dit: «moi, pas papillon. Envoie-moi argent.» Farang dit: «femmes farangs prennent pas soin. Grand trou.» Comme ça.

Est-ce que les filles de bars mentent à leur client et leur disent qu'elles les aiment même lorsque ce n'est pas du tout le cas ?

Certaines disent vérité, d'autres non. Je dis pas «amour» pour l'argent. Quand j'écris, je dis: «je pense beaucoup à toi. Je peux pas t'oublier. Tu es toujours dans mon esprit. Envoie-moi de l'argent. S'il te plaît; J'ai un problème.» C'est la même histoire. Non, c'est pas vrai. Donc, maintenant, j'ai le coeur noir. Si le type m'envoie de l'argent. Je dis: «merci. Très bien.» Ça veut dire il s'inquiète pour moi. Mais je parle avec mon amie: «mon homme m'envoie 10000 bahts, 20000 bahts !» C'est juste pour la frime. Si le type dit: «je t'aime mais j'ai pas d'argent pour toi.» Je crois pas ça. Il s'amuse, c'est tout. Et il ne veut rien faire. Quand il envoie de l'argent, il ressent quelque chose. Peut-être pas l'amour, mais il prend soin.

Maintenant, je rêve de trouver un très, très bon type. Honnête avec moi parce que c'est que des conneries. Je m'en fous il est riche ou pas riche. Je peux travailler comme bonniche. J'ai trente ans maintenant. C'est le moment d'arrêter. Je suis bien pour un homme maintenant.

Tes parents sont-ils au courant pour ton métier ?

Ils savent pas. Je leur dis: «je suis guide». Ils me croient.

Qu'arriverait-il si tu leur disais la vérité ?

Très mauvais. Dans la société thaïlandaise, ils perdent la face.

Que penses-tu des hommes étrangers qui fréquentent les bars?

Quand ils sont dans leur pays, ils peuvent pas avoir de petite amie. Ils sont très seuls. Travailler. Travailler. Travailler et retourner à la maison. Quand je les vois dans le bar en train de boire un verre, je sais ils veulent s'amuser. En Asie, en Thaïlande ou Philippines, ils peuvent trouver une femme pour rester avec eux.

Est-ce qu'aujourd'hui tu es amoureuse d'un client étranger ?

En ce moment, pas amour. Un type, Allemand. Je commence à bien aimer mais on a un problème juste pour 200 bahts. Je reste pas avec lui pour l'argent. Je reste avec lui parce que j'aime bien. Ça fait juste deux semaines. Je reste avec lui tous les jours. Mange des fruits de mer. Va voir la boxe. Près du ring. Il paie pour tout ça sans problèmes. Je suis contente. Je pense ce type a bon coeur. Un jour je viens le voir et il s'énerve parce que je suis en retard. Je dois appeler ma maman. J'ai besoin de 200 bahts pour ça. Je veux pas demander mais j'ai pas le choix. Parce que je reste avec lui une semaine. J'ai pas d'argent. Il doit me comprendre. Je veux parler de ça (*elle commence à pleurer*). Je lui demande: «est-ce que je peux avoir de l'argent ?» Je dis: «veux aller à la poste.» Il dit: «pourquoi ?» Je dis: «espèce de gros farang de merde ! Tu crois tu peux dire, fais ça, reste là ! Tu crois, tu crois ! Espèce de gros farang de merde !» Il se met en colère. Il pense je dis «s'il te plaît, s'il te plaît, reste avec moi.»

Non, non. Jamais.

Es-tu déjà allée à l'étranger avec un client ?

Allée en Allemagne. J'aime pas. Près frontière suisse. Il a grande maison et deux voitures. Très ennuyeux. Je crois gens très riches.

A quoi penses-tu lorsque tu es en train de faire l'amour avec un client qui ne te plaît pas ?

Je pense, finis vite, s'il te plaît. Finis vite.

Espères-tu tomber amoureuse d'un étranger ?

L'amour, c'est fini parce que maintenant mon coeur est fermé. J'ai le coeur noir. Autres filles disent: «type, oh, lui bien.» C'est marrant. Je trouve rien bon dans un farang. Je pense veut juste s'amuser. Il a juste des vacances et il revient à la maison et il oublie.

Que dire de ceux qui envoient de l'argent ?

Peut-être, ils oublient pas. Il reviennent et passent du temps avec femme. Mais pour moi, je veux plus aimer. C'est fini. Je prends juste l'argent. J'aime bien mais je n'aime pas avec amour. Je vois beaucoup, beaucoup jouent comme ça alors moi aussi, je veux jouer. Parce que si mon coeur est brisé, qui va m'aider ? Une fille, elle a sauté du haut d'un immeuble. Elle veut se tuer parce que son petit ami anglais est parti. Je vois tellement de filles se couper le bras parce que fâchées à cause type a une autre femme. Mais moi, jamais comme ça. Parce que j'aime moi-même plus que les hommes.

La plupart des filles des bars de Patpong sont-elles heureuses ou tristes de faire ce métier ?

Je pense elles très *contentes (parodiant une voix de fille de bars*): «Salut ? Tu me paies un verre ? Tu me veux ? Elle font juste semblant, mais certaines jeunes femmes ne pensent pas à l'avenir. Elle pensent seulement argent, bon temps. Vieilles filles de bars pensent à l'avenir. Veulent se marier avec type bien. Aujourd'hui, je cherche un homme. Pas facile à trouver. Je vieillis de plus en plus. Maintenant, peux pas économiser l'argent. Trop peu. Avant, je pouvais économiser parce que je travaille tous les jours dans le bar. 2500 bahts en un seul jour. Des fois 5000 bahts. Maintenant, une semaine, peut-être 3000 bahts. Parfois, une semaine 500 bahts.

Ma chérie,

Me voilà de retour à Riyadh et je ne m'empêcher de penser à la manière dont on s'est séparé.

Avec cette lettre, je peux dire certaines choses qui auraient du être dites à Bangkok.

Lorsque tu agis comme tu l'as fait jeudi, le type que je suis, qui t'a aimée pendant tant d'années, ne cherche plus qu'à s'échapper. Tu as fait ça des quantités de fois. Ça ne t'a jamais fait de bien. Ma réaction a toujours été la même.

Tu sais déjà pourquoi nous devons nous quitter. Trop de mensonges, de déceptions et de scènes comme celle de jeudi. Quand j'avais besoin de me sentir fier de notre relation, tu étais lentement en train de la détruire. Presque tous ceux qui nous ont connus ensemble ont pu voir ce qui était en train d'arriver. Il ne restait plus qu'une seule issue. Mais tu étais aveugle et incapable de voir ce que tu étais en train de faire.

Si ça n'avait pas été la fille dans l'autre pays, ç'eut été une autre. Si je n'avais pas eu cette autre Thaïlandaise aujourd'hui, j'aurais finalement rencontré quelqu'un d'autre. Au moment où je suis allé dans l'autre pays, tu avais tourné mon coeur contre toi mais il m'a fallu du temps pour prendre conscience de ça. J'ai eu besoin du genre d'amour que je t'avais donné. Mais il n'est jamais venu.

Tu as ta propre affaire à présent. Tu as une chance de faire de ta vie un succès. Tu as une chance de tourner le dos à Patpong ainsi qu'à toute la misère et la maladie qui peuvent aller avec. Tu peux tirer des leçons de tes erreurs et rendre quelqu'un heureux.

Je vais essayer de faire ma vie avec l'autre Thaï landaise.

Après mon expérience avec toi, je suis peut-être dingue, mais j'aime le peuple thaïlandais. Je ne peux pas croire que toutes les Thaïlandaises se comportent de façon malhonnête. Le passé m'a bien évidemment affecté et je ne lui donnerai pas le nombre de chances que je t'ai données. Mais je suis heureux avec elle et j'espère que ce qu'elle dit est la vérité.

Le Bouddha que tu m'as offert se trouve en Angleterre, mais je promets de te le renvoyer. Si tu bouges dans le futur, fais-le moi savoir.

J'ai reçu aujourd'hui la cassette que tu as envoyée et je l'ai écoutée dans la voiture. Merci chérie. J'aime aussi les deux chansons dont tu parles. L'une d'entre elles semble parfaitement coller à notre situation. Tu vois celle à laquelle je pense.

Je ne veux pas que tu penses que je suis tranquille et calme malgré notre rupture. Je reste très ému depuis que j'ai pris mon avion de retour. J'ai beaucoup souffert hier et aujourd'hui. Tu as représenté la Thaïlande pour moi. Pendant tant d'années... Nous avons partagé de grands moments. Heureux, tristes et drôles. Ces moments sont une partie de moi à présent. Une partie de ce que je suis. En cela, tu seras toujours avec moi.

Si nous nous rencontrons dans le futur, nous pourrons nous faire des petits sourires et nous rappeler ces instants. Peut-être en serons-nous fiers.

Au revoir «ma tee rak de tant d'années.»

Ma chérie, Number One, ma beauté,

Je reçois ta belle lettre. J'étais très Sabaï et Sanuk. Quand je vois le rouge à lèvres dans ta lettre, je fais vite tchak waho.

Je reviens bientôt pour trois mois. Je loue appartement avec télévision, cuisine. Fini les hôtels.

Fais attention aux MST et au Sida. Teste si le minou va bien avant mon retour. Va à hôpital et demande le test du sang. Je veux voir le certificat du docteur. Je paie la facture. N'oublie pas.

J'ai trop de travail. Je bois plus dans mon pays.

Je promets qu'on va tous les deux à Pattaya et aussi à Surin.

N'oublie pas de dire «bonjour» à la caissière, la mama-san et les amis.

Bisous.

❧❧❧

Ma chérie,

J'ai reçu ta lettre aujourd'hui. La seconde depuis que je suis rentré à Riyadh. Merci pour la cassette.

Je peux comprendre que tu sois blessée et bouleversé e parce que ça n'a pas marché entre toi et moi, mais pourquoi écris-tu des lettres comme ça ?

Tu sais très bien que j'ai toujours fait le maximum pour toi. Pendant la plupart du temps que nous avons passé ensemble, c'est moi, beaucoup plus que toi, qui ai tout fait pour que ça marche entre nous. Et maintenant, tu me dis que je suis mauvais. Tu me menaces et tu me dis que je ne peux pas épouser qui je veux.

Je connais cette autre Thaïlandaise depuis l'année dernière. Comme je te l'ai dit dans la lettre précédente, si ça n'avait pas été elle, ç'eut été de tout façon, quelqu'un d'autre. Qu'es-tu exactement en train de ma demander ? Je devrais rompre avec elle puis revenir avec toi ? Penses-tu vraiment que ça puisse être bon pour nous deux ?

Chérie, la vie est étrange. Quand je te voulais plus que la vie elle-même, je ne parvenais pas à avoir 100% de toi. Tu ne m'as jamais permis de te faire (sy chai) confiance. C'est toi à présent qui me veux mais tous ces espoirs brisés pendant tant d'années ont changé mon coeur. EST-CE CELA QUI ME REND RÉELLEMENT MAUVAIS, CHÉRIE ?

Pourquoi la vie ne nous a pas souri en nous permettant de vouloir les même choses au même moment ? Si j'avais la réponse, je serai un sage plutôt que cet idiot qui trébuche tout au long de sa vie en cherchant le meilleur chemin.

Évidemment, je ne suis pas capable d'éteindre mes sentiments comme on éteint la lumière (fie). Je pense à toi avec beaucoup de tendresse. J'ai parfois envie de pleurer à cause de ce que nous avons perdu, TOI ET MOI. Oui, j'ai perdu la même chose que toi. Aujourd'hui, je refais ma vie au même endroit qu'il y a tant d'années. Tant d'années perdues, chérie. Tu referas également ta vie. C'est inévitable. Je veux croire que nous avons appris quelque chose de notre bel amour brisé, ma chérie. J'ai ouvert mon coeur dans cette lettre. Pendant que j'écris, tout se voile à cause des larmes qui coulent de mes yeux. Je n'imagine pas pouvoir aimer une seconde fois comme je t'ai aimée. Quelle tragédie d'avoir tant perdu.

Quand je suis venu en Thaïlande cette fois, je pensais que tout s'arrangerait et fonctionnerait si on se mariait. Lorsque je t'ai dit au MMM Hotel que j'avais besoin de réfléchir, c'était ça que j'avais dans la tête. Quand je me suis retrouvé seul, j'ai réalisé que même avec un mariage, les déceptions du passé ne quitteraient jamais mon esprit. Nous nous serions engagés pour notre vie entière dans une relation du passé et pas dans une relation du présent ou de l'avenir.

J'ai beaucoup réfléchi, chérie. Je ne suis pas allé immédiatement trouver cette autre Thaïlandaise... J'avais besoin que tout soit clair au sujet de toi et moi. Même si nous étions séparés depuis cinq mois.

Il m'est impossible de t'écrire une lettre qui puisse te faire du bien. J'ai pourtant l'espoir que ces lettres t'aident à comprendre. Penses-tu vraiment que mon intention était de tourner le dos à toutes ces années ? Je suis beaucoup plus vieux que toi et j'ai donc moins d'années devant moi. C'est pourquoi j'ai besoin, maintenant de prendre un nouveau départ. C'est la raison pour laquelle je veux essayer avec cette autre Thaïlandaise. Avant d'être trop vieux et de ne plus pouvoir rien faire. Le temps est encore ton ALLIÉ, chérie. Mais il est déjà mon ENNEMI.

J'ai été ton AMI (et amant) toutes ces années. J'ai tenté de m'occuper de toi. Je me suis inquiété et j'ai voulu ton bonheur. Pourquoi cherches-tu à faire de moi un ennemi à présent ? Est-ce parce que la vie ne nous a pas donné ce que nous voulions ? Si c'est ça, comment peux-tu m'en vouloir ?

Bises.

Sa chevelure, séparée en deux grandes nattes, lui donne un air espagnol. Grande, un peu potelée, elle glousse pour un rien. On sent qu'elle doit avoir bon coeur. Elle n'est plus de la première jeunesse, mais a su rester mignonne, particulièrement dans la lumière du bar.

Moi, j'ai 48 ans maintenant. Avant, je suis fille bien. Mariée Américain. Mariée à 18 ans. Divorcée quatre ans après. Alors j'ai 22 ans. Un fils. Il reste avec mon mari. Moi, il donne presque 1million de baths quand divorce. J'aime les paris. Je débute fille de bars à 28 ans. Quand quelqu'un me plaît, je fais. Quand me plaît pas, fais pas. L'argent peut pas m'acheter. Je fais les paris. Je reste seule. Quand j'ai l'argent, je fais tout. Après ça, j'ai plus beaucoup. Je perds mes paris. Après ça, je vends ma maison. Plus d'argent.

Comment as-tu rencontré ton mari ?

Mon frère va à l'école, USA. Mon mari, lui bon ami. Lui bon boulot, lui affaires.

Après ton divorce, quand tu es devenue une fille de bars, comment s'est passée la période des soldats américains qui étaient stationnés en Thaïlande pendant la guerre du Viet Nam ?

J'ai bien rigolé. Je couche pour rien. Pas besoin d'argent pour moi. Si je veux, je l'aime. J'ai besoin d'argent mais si il me plaît pas, j'ai pas besoin. Si j'aime, je veux. Ça me plaît. Vais pas avec soldats. Vais avec Air America. Pilote.

Pourquoi préférais-tu Air America qui était la ligne aérienne sud-est asiatique crée par la CIA pendant la guerre du Viet Nam ?

Air America mieux que soldats. Lui, comme civil. Belle vie. Chambre à l'étage, très grande classe. Parce que que lui pas soldat. Il a plus d'argent. Il vit bien. Bon aspect ! C'est sûr ! Je veux, je fais quelque chose avec officier. Capitaine, lieutenant, patron. Ça va. Mais lui, gentleman. Gentleman, tu vois ?

As-tu eu des petits amis de la CIA elle-même pendant la guerre du Viet Nam ?

Avant, il y a beaucoup de CIA. Il me donne de l'argent. CIA me donne. Moi espionne avec lui. Pour lui. Mais il veut pas frimer avec CIA. Il me dit. Mais ne crâne pas. Il dit: «celui-là, demande-lui.» Quelque chose il veut savoir sur un type dans le bar. Veut moi poser des questions: «Nom ? Vient d'où ? Ce qu'il fait ? Combien de temps reste ici ? Vrai nom, Prénom ?» Il me donne plein d'argent aussi. Il fait quelque chose pas bien. Si j'ai peur, je meurs. Veut moi demander: «d'où il vient ? Ce qu'il fait ?»

Après ton divorce, es-tu jamais retombée amoureuse ?

Un fois. Ce type, il a pas de travail parce que gros problèmes avec famille. Doit rentrer en Amérique. On reste tous les deux pendant trois ans. Je l'aime trois ans. Il doit revenir. Il revient pas du tout. Après j'ai personne. Devait revenir et revient jamais. Il a le feu dans sa maison aux USA. Son père tué. Après, il revient. Je l'aime plus. C'est terminé. Moi blessée.

Combien d'hommes t'ont-ils écrit des lettres ?

Beaucoup. Quelqu'un me demande encore en mariage. Je veux pas parce que je l'aime pas. Je veux pas aller. Un Amérique. Un Hollande. Les deux m'envoient une lettre et de l'argent. J'ai besoin d'argent mais je les aime pas. Je pense je suis pas heureuse si je reste avec lui. Je peux pas vivre longtemps avec lui. Un semaine. Deux semaines. OK. Après, je suis fatiguée d'eux. Je veux aller avec personne. Certains m'emmè nent dîner. Jeune homme aussi. Oui, encore! Des fois maintenant, j'ai de l'argent. Il dit moi vieille mais encore pas mal. Je ressemble Européenne. Suis très grande. 1m70. Il dit, j'ai 30 ans. (*Elle rit.*)

Que penses-tu de la nouvelle génération de filles de bars ?

Différente. Différente. Pas pareille qu'avant. Maintenant, il y a très jeunes filles de bars. Mauvais comportement. Certaines ont petit ami thaïlandais. 50%. Elles travaillent pour donner l'argent au mari thaï landais. Pour lui. Elles s'occupent de tout. Jamais eu dans ma vie. Farang maintenant est idiot parce qu'il sait pas elle a petit ami Thaïlandais, mari Thaïlandais. Pas d'amour. Juste l'argent. C'est sûr. Elle a l'argent comme une play girl. Achète des médicaments . Droguée. Avant il y pas médicaments comme ça. Maintenant, il y a beaucoup. Tu es défoncée comme avec une bière. Capsule. De mon temps, pas de problèmes. Maintenant, tout le monde problèmes. Gros gros problèmes. Médicaments problème numéro 1.

Est-ce qu'un étranger peut épouser une fille de bars et vivre heureux avec ?

A tous les farangs qui lisent ce livre, je veux dire au type qui veut se marier avec Thaïlandaise: tu veux épouser une Thaïlandaise ? Tu dois rencontrer la famille. Prends le temps. Fais attention. Besoin d'argent. Dois te charger de la famille. Chaque mois. Tu dois le faire. Il doit payer. Il doit envoyer de l'argent à la maison. Pas pareil famille d'Amérique. Maintenant, tu dois prendre soin. Tu dois prendre en charge la famille. Demande à la fille: «OK, combien il faut que je donne pour la famille, pour la mère, pour le père ?» L'argent. Il faut qu'il paie plus de 10000 bahts par mois. 10000 bahts, 20000 bahts. A cause de ça, ils se disputent. Ils se marient, ils divorcent beaucoup. Peut-être si un farang sait ça, il lit ce livre, il a peur !

A l'origine, ce livre devait se borner à présenter les lettres d'amour qu'avaient reçues les filles de bars, ainsi que des entretiens avec elles. Mais nous avons également eu entre les mains des lettres écrites par les femmes et adressées aux hommes. Nous en avons sé lectionnées quelques-une qui donneront un aperçu des réponses que reçoivent certains étrangers.

Bonjour ! Mon amour,

Comment ça va ? Je pense que tu te sens bien. Je pense à toi beaucoup trop. La semaine dernière, je suis allée dans le nord pour planter le riz dans ma ferme. Je suis devenue fermière. Je suis contente de faire ça. Dimanche, mon frère a eu un accident. Il conduisait la moto et a renversé un homme avec un bébé.

Alors, le policier l'emmène au poste de police. Il veut de l'argent. Mais maintenant, j'ai pas d'argent pour lui. Pour aider mon frère. Je suis triste. Je veux sortir mon frère du poste de police.

Oh, mon amour. Je t'en prie, envoie-moi de l'argent. Je veux environ 20000 bahts. Envoie-moi vite s'il te plaît. J'attends et j'espère tu vas m'aider. S'il te plaît, aide-moi. Je t'aime, je t'embrasse. J'ai envie de toi très fort. J'espère te revoir encore en juillet. S'il te plaît, aide-moi. Oh, mon amour.

Je t'aime et t'embrasse.

Chéri,

J'espère que ça va.

D'abord je crois tu oublies et tu réponds pas ma lettre. Parce que je l'ai envoyée il y a longtemps. Mais j'ai pas reçu ta lettre. Je sais pas quoi tu deviens.

Quand j'ai reçu ta lettre, je suis très contente et remercie que tu aimes ma poupée.

Mais j'aime pas tu dis j'ai un Japonais, un homme chocolat.

T'en fais pas! Si tu penses comme ça, je suis désolée tu penses comme ça. Je jamais papillon.

J'attends tu reviennes pour me voir.

Juste toi.

❧❧❧

Bonjour chéri,

Comment ça va aujourd'hui ? J'espère tu te sens bien et heureux. Moi, ça va. Mais tu me manques beaucoup. J'ai déjà reçu ton argent. Merci beaucoup. Je suis heureuse que tu m'oublies pas. Chaque jour je m'inquiète beaucoup pour toi. Parce que tu me téléphones pas. J'attends un mois ton appel. Tu me fais déjà trop réfléchir, chéri.

Et cet argent que tu m'as envoyé, c'est pas assez. Parce que je dois payer mon loyer et la moto aussi. Chéri, tu sais bien. Pour le loyer, je dois payer environ 2700 bahts. S'il te plaît, comprends-moi. Je t'en prie, envoie-moi un peu plus d'argent. Environ 5000 bahts.

Chéri, il faut que je te dise. J'ai des problèmes. Tous les jours il pleut beaucoup dans le nord. Ma maison dans le nord s'est presque écroulée à cause de la pluie. Je m'inquiète aussi beaucoup pour ma maison. Et j'ai pas d'argent dans les poches.

Donc, il faut que je retourne travailler. Encore. Mais t'en fais pas et te fâche pas. Je travaille juste pour avoir un salaire. Je sors pas avec quelqu'un. Tu me manques jour et nuit. Chéri, rappelle-toi je t'attends jusqu'à la fin des temps. Personne peut changer ma volonté.

Chéri, s'il te plaît, écris-moi et dis-moi tout sur toi. Fais attention à toi. Je te souhaite le meilleur pour tout. Que dieu te bénisse toujours.

Avec tout mon amour pour toi.

❧❧❧

A toi (sale type)

Toi Pussy Flash. Pas héros.

Comment ça va ? J'ai pas coeur brisé. Parce que je m'en fous. Veux pas de toi. Et Thaïlandaise veut pas trop de toi.

Toi (va-te faire foutre !) Tu dis aujourd'hui tu as femme. Je suis pas à toi. T'es pas un homme. Mais j'ai pas problèmes et je m'en fous !

Le type très mauvais. (Je t'emmerde !)

Flash Bar veut plus de toi.

❧❧❧

Mon chéri,

Je suis désolée pour toi. Je pouvais pas attendre ton téléphone.

Je suis allée à la campagne. Mon amie est morte. C'était la crémation.

Merci beaucoup pour ton gentil soutien. J'ai reçu l'argent que tu as envoyé.

J'espère que tu vas bien. Moi et ma fille, ça va.

J'espère que tu vas m'appeler. J'ai besoin entendre ta voix.

S'il te plaît, appelle-moi le 5 avril. J'attendrai pour répondre au téléphone.

Encore, ne sois pas fâché contre moi. Je te fais des excuses.

Fais attention. Je t'aime vraiment.

Mon grand chéri,

Bonjour de la Thaïlandaise.

Comment vas-tu ? J'espère que ça va. Moi, ça va.

Je suis désolée, j'envoie cadeau pour ton anniversaire si tard.

Espère que tu n'es pas fâché contre moi et que tu ne m'en veux pas.

Pardonne-moi.

Je ne t'oublie pas. Tu es toujours dans mon esprit.

La raison je l'envoie si tard, parce que je n'ai pas d'argent pour l'envoyer. Espère que tu me comprends.

Espère que tu aimes le cadeau je t'envoie.

Je dois arrêter maintenant.

Fais attention à toi.

Tous les bars ont une mama-san. Son travail consiste à surveiller les filles de bars.

Une mama-san peut avoir un comportement autoritaire et froid, mais il lui arrive d'agir comme une amie intime auprès des filles qui en ont besoin.

Mais le travail de base de toute mama-san est de faire des rondes dans le bar, pour veiller à ce que les filles travaillent bien, que les buveurs continuent à boire et que les clients obtiennent pratiquement tout ce qu'ils veulent lorsqu'ils louent une fille. La mama-san doit également s'assurer que le client s'acquitte bien de la «taxe de bar», une commission d'environs 500 bahts qu'il doit payer lorsqu'il emmène une fille. Il devra ensuite ajouter une somme de 500, 1000 bahts ou plus, pour la passe elle-même, au terme d'une transaction qui s'opérera strictement entre lui et la fille. Les propriétaires de ces établissements justifient la «taxe» comme une juste compensation de la perte d'une de leurs séduisantes hôtesses, pour quelques heures ou parfois la nuit entière. Perte qui, clament-ils, réduit le potentiel attractif du bar.

Une mama-san, sérieuse, efficace mais amicale, a accepté de parler de son métier de chaperon de Patpong ainsi que des histoires d'amour qui naissent entre ses filles de bars et leurs clients.

A Patpong, je travaille depuis sept ans. Mais comme mama-san, seulement depuis trois ans. Maintenant, moi 27 ans. Avant d'être mama-san, je travaille au bar. Je fais tout au bar. Au bar d'abord, ensuite mama-san.

As-tu aussi travaillé comme fille de bars avant de devenir mama-san ?

Non, non, non.

Qu'est-ce que fait une mama-san ?

Mon boulot, m'occupe de la femme si la femme a un problème. Ou aussi client a un problème avec femme. Je dois régler le problème. Peut-être la femme pas bien. Il paie la taxe de bar mais elle va pas avec. Ou peut-être elle va, mais dit des mensonges. Dit: «je couche pas avec toi.» Et retourne au bar. Quelque chose comme ça. Peut-être il veut taxe de bar remboursée. Des fois, je lui rembourse. Mais pas à chaque fois. C'est pour ça, je dois savoir d'abord: quel problème ? Femme pas bien ? Ou lui pas bien ?

Quel est le pourcentage de filles de bars qui épousent des étrangers ?

Pas sure. Avant, il y a belle fille. Belle et bien. Gentille. Farang vient. Elle fille bien. Pas comme maintenant. Fille maintenant se baladent, avalent mé dicaments, parlent mal. Farang seulement faire l'amour et puis: «au revoir !» Pas comme avant. Avant fille très bien. Fait l'amour et se marie. Beaucoup. Avant, il y a environ cinq ans, je pense 60%, 65% se marient. Mais aujourd'hui non. Aujourd'hui, il y a des filles vont avec farangs mais se marient pas. Mais farang dit: «arrête de travailler. Je peux te donner de l'argent. Arrête boulot.» Mais se marie pas. J'aime pas ça. Femme aime bien. Ça change depuis cinq ans. Avant, il y a cinq ans, fille bien. Mignonne. Mais maintenant, très jeune fille. Boit beaucoup. Avale des médicaments. Maintenant, dingue. Farang, bon farang aime pas ça.

Quelle sorte de médicaments prennent-elles ?

Médicaments qui se mangent et on est saoul. Valium. C'est le nom, valium. Et puis d'autres. Fait pareil saoul. Pense rien. Dingue. Elle sait plus rien quand elle fait ça. Héroïne, je sais pas. Mais bon ça va, il y a pas. Sure. Je sais pas, des bars peut-être il y a. Laque (*qu'on sniffe*). Ouais, avant il y a. Mon bar, il y a pas. J'aime pas parce que je sais comment elle est saoule. Saoule au whisky ? Ou saoule aux médicaments ? Je sais, peux sentir quand la femme passe. Sure. C'est pas bon. Je pense tu vois la femme qui marche dehors dans Patpong. Comme dingue, tu sais ? Avant, elle travaille très bien. Elle travaille Go-Go avant. Elle parle anglais. Alors, pourquoi maintenant elle est dingue ? Avale des médicaments. De la laque. Peut-être a pris de l'héroïne. Trop. Beaucoup trop. Rendu folle. Peut plus travailler maintenant.

Est-ce que l'une de tes filles de bars a déjà tenté de se suicider ?

Ouais, dans mon bar avant. Mais je lui dis: «tu fais pourquoi ? Lui, il fait. Il est pas blessé. Mais toi, blessé e. Pas bien.» Mais elle avale médicaments. À cause d'un Thaïlandais, elle fait ça. Pour rien. Il s'en fout, le Thaïlandais. Mais elle meurt pas.

Pourquoi crois-tu que les filles de Patpong ont changé ?

Femme pas pareille qu'avant. Maintenant très jeune. Et pense à rien. Juste contente un jour ou demain. Pense pas aux années devant. Femme avant, elle pense à l'année prochaine. Ou deux ans. Même trois ans ce qui arrivera. Elle aime pas travailler à Patpong tout le temps. Avant, si elle trouve un farang bien, elle pense OK, elle peut aller se marier. Bien pour elle. Et pour l'amour ? Ouais, elle en a. Si pas amour, je pense elle se marie pas. Peut-être pas amour à 100%, mais 50 ou 60% amour. Doit avoir amour.

Pourquoi les hommes étrangers tombent-ils parfois amoureux des filles de bars ?

Peut-être femme s'occupe bien. Et lui, il apprécie.

Et pourquoi des filles de bars tombent-elles parfois amoureuses des étrangers ?

Peut-être, elle l'aime bien. Lui bon. Peut s'occuper d'elle. Ou tout faire pour elle. L'argent. Ça aussi. Si amour, mais pas argent, comment ils peuvent rester ensemble ? Mais elle pense pas: «est-ce que tu es riche ?» Ou «t'es pas riche.» Mais elle pense: «d'accord, il nous faut de l'argent. Payer tout. Manger et des choses comme ça.» Si elle aime.

Est-ce que tu aimes ton travail de mama-san ?

Ouais, parce que je travaille élite. Pour moi c'est bien. Mais je peux pas faire pareil comme travail au bar avant: «Hey ! Hey ! Tu bois !» Pas sympa comme avant. Maintenant, m'occupe que de moi-même et des clients. J'aime parce que dois rencontrer plein de gens. «Tu viens d'où ? Quel pays ? Comment ça se passe ? Tu viens pourquoi ? Les affaires ? Ou les vacances ?» J'aime bien rencontrer beaucoup, beaucoup, beaucoup de gens. C'est bien.

Et ton salaire ? Ça va ?

Ouais, ça va.

Combien gagnes-tu en un mois ?

Un mois, peut-être le client me paie un verre et petit pourboire. Mais j'aime pas ça. Si tu veux donner, d'accord. Mais je demande jamais.

Mon salaire par mois 6000 bahts. Ça va maintenant. Mais après peut-être plus. Aimerais avoir plus.

Es-tu déjà tombée amoureuse d'un étranger ?

Moi ? Non. Juste amis. M'en occupe.

Pourquoi pas ?

Je sais pas. Je leur dis: «juste très bons copains.» Je sais pas pourquoi. Parce que j'aime pas.

Quand tu rencontres une autre mama-san de Patpong, parlez-vous du métier ?

Non, pas du métier. Parce que pour les bars, on doit garder les secrets. Choses trop secrètes. Peux pas parler. Peut-être je vais voir, je la connais. Je dis: «salut, comment ça va ? Tout va bien ?» Parle pas du travail. Peux pas. Tous les bars doivent garder secrets. Si on va dans tous les bars et on parle du travail. C'est pas bon. Le propriétaire pense c'est pas bon s'il apprend. Tous les bars, c'est pareil. Peux pas parler d'une fille. Ou parler de remplacer une fille. Ou dire quelque chose pas bon pour bar. Quelque chose comme ça.

Quelles sont les difficultés d'être une mama-san ?

Pas difficile. Je peux arranger les problèmes. C'est à moi de m'occuper des filles. J'ai discussion avec filles. D'accord, je peux arranger. Si peux pas, je parle à mon patron. Si je peux arranger pour la fille mais le client comprend pas. Juste saoul. J'aime pas parler. Je lui dis: «OK, tu parles au patron.» Plein de farangs sortent, paient pas la note. Des trucs comme ça. Il y a bagarre.

Quels problèmes tes filles ont-elles avec leurs clients étrangers ?

Quand elle revient, elle parle du type est parti avec elle. Lui, peut-être sadique. Peut-être, il baise trop parfois (*rires*). Et dingue des fois. Il la tape. Sadique. Ou aime la prendre par les fesses. Des trucs comme ça. Ou dans la bouche. Si elle aime pas. Elle revient. Elle me dit: «je l'aime pas. Lui aime avoir bouche et fesses. Je pars. Fais pas l'amour.» Si le type vient, je comprends. Je peux parler avec lui. Ou peut-être pas de préservatif. Elle se plaint.

Est-ce que des clients demandent parfois le remboursement de la taxe de bar ?

Parfois, il dit: «fille reste pas avec moi. Pourquoi ? Je paie la taxe. Je fais rien de mal. Pourquoi elle s'en va? Je veux mon argent.» Alors, je regarde l'heure. Si il a pris la fille pendant une heure. Revient pas avant 8.00 ou 9.00 et se plaint, je rembourse pas. Parce que tu prends, tu paies pour une heure ou deux. C'est toi qui vois. Tu fais avec elle ou pas. C'est pas mon problème. Mais si une fille dit des conneries. Je peux savoir. Je parle. Si c'est la vérité, je m'occupe bien d'elle. Si c'est pas la vérité, je le rembourse. Je dois parler d'abord.

Lorsqu'une nouvelle fille se présente pour travailler, d'après quels critères vas-tu ou non la prendre dans ton bar ?

D'abord, quel genre de peau. Si ça va pour la peau ? Bien ? Mince ? Et le lait ? «Tu as déjà eu un enfant?» Si oui, le lait bon ou pas bon ? Peut-être peut pas travailler. Grosse ? Ou mince ? Grosse peut pas danser. J'aime pas. Si elle parle anglais, c'est bien. Ou a déjà travaillé avant. Je regarde le visage. Belle ? Quand le client regarde, il pense: «belle ? Ça va.», ou «pas belle.» Et aussi, si elle a jamais dansé avant, je lui apprends pas mais je parle à une fille. Elle s'occupe d'elle parce que nouvelle. «Tu lui apprends.» La fille lui montre. Elles s'amusent. Peut-être c'est la première fois. Je mets avec fille qui danse bien. Elle peut voir. Ou je demande: «où tu travailles avant ? Quels problèmes ? Tu as arrêté ? Pourquoi tu viens ici ?»

Quels conseils lui donnes-tu si elle n'a jamais travaillé dans un bar ?

Jamais travaillé ? Je dis : «pas peur. Tu sais je suis là. C'est le début. T'inquiète pas.» Un, deux, trois jours, elle fait pas d'argent, c'est pas grave. Je m'en occupe. Elle comprend ce que farang dit. Elle vient me demander. Je dis: «tu te souviens ce que ça veut dire ? Tu te souviens ?» Elle écoute d'autres filles et parle un petit peu. Ça va. Facile.«Bonjour, comment ça va, salut.» Encore. Parlent ensemble. Facile. Mais des mots sont difficiles. Jamais dit avant. Jamais entendu. Alors, elle revient me demander. Je lui dis. Ensuite elle sait de plus en plus, de plus en plus, de plus en plus... Elle apprend toute seule. On a dans toilettes, maquillage, tout ce qu'il faut. Une personne s'occupe de tout. Les cheveux. Maquillage. 15 baths seulement. Ou peut-être je regarde le client d'abord. Bien ou pas ? Peut-être un client pas bien. Je connais tous les clients. Il vient boire ? Boit pour s'amuser ? Ou bois juste pour baiser ? A de l'argent ou pas ? Suffit de parler d'abord. Je viens dire bonjour. Je lui demande: «tu es dans quel hôtel ?» Demande d'abord hôtel. C'est bon.

Lorsque tu demandes à une nouvelle fille pourquoi elle veut devenir une fille de bars, quelles réponses te fait-on ?

Peut-être, elle a problème avec mari thaïlandais. Ou elle a besoin de quelque chose. Ou mari peut pas donner assez d'argent. Ou parce qu'elle a enfant et doit s'occuper de l'enfant. Autre problème, c'est sa famille. Mère, père. Sa petite soeur a peut-être besoin d'argent pour aller à l'école. Je lui demande d'abord. Pourquoi elle vient travailler ? Problèmes d'argent, si elle veut de l'argent, elle peut travailler. Elle peut faire pareil fille de bars. Elle essaie. Bonne ou mauvaise. On sait après. Je peux lui apprendre. «Tu voudrais avoir de l'argent ? Tu dois travailler. Parce que si tu travailles, tu as de l'argent. Fini les problèmes.»

Les nouvelles ont-elles peur du travail de fille de bars ?

Peut-être timide. Et puis connaît pas client. Peut-être après deux, trois jours, elle peut comprendre ce qu'elle fait. Je parle avec elle. Des blagues. Je sais pas quoi elle pense. Je viens comme ça et demande: «c'est quoi le problème ? L'argent ? OK, l'argent on peut donner. Si tu as besoin d'argent, si tu veux de l'argent, je peux donner 150 bahts ou quelque chose comme ça.» Parce que le premier jour, elle a pas. Peut pas faire de l'argent. Et je la taquine: «souris ! Oublie les problèmes !»

Selon toi, fille de bars est un bon métier ou non ?

Bons côtés. Mauvais côtés. Parce que si elle veut travailler pour l'argent, économiser, deux ou trois ans peut-être, fini le travail. OK, c'est bon. Mais pour d'autres filles, pas bien. Juste «avoir l'argent !» Alors quand elle a l'argent, elle va boire. Peut-être elle va voir des bars à garçons. Et l'argent elle donne au garçon. Pourquoi ? Je lui dis: «pourquoi ? Tu travailles, tu veux avoir de l'argent. Tu as l'argent du farang, mais tu paies pour le garçon thaïlandais. Pourquòi ?» Je pense il y a un garçon elle aime et va tous les soirs. Donne de l'argent. Paie pour les verres. Et peut-être le loue aussi. Dingue ! Je parle à chaque fois. Je parle mal, mal, mal des garçons de bars. «Pourquoi ? Pourquoi ? Tu lui donnes pourquoi ? L'argent ? Tu le gagnes, tu dois garder. Va banque. Ou donne mère, père. Parce que tu as mère, père. Ils ont pas d'argent !»

Est-ce que des étrangers tombent amoureux de tes filles de bars et ensuite te demandent conseil ?

Ouais. Il y a. On a un farang, je sais pas lui dingue ou pas. Mais il aime vraiment la fille. Mais la fille s'en fout. Il vient tellement de fois... « Mama-san, mama-san, pourquoi je l'aime ? Tu penses, je l'aime trop ? Pourquoi elle m'aime pas ?» Qu'est-ce que je peux dire. Aaaaaaaaaaaaaaah, lui dingue. Alors je dis: «OK, bois ! Oublie ! » Lui vient tout le temps. Mais maintenant, je le vois plus. Quatre semaines. Il vient pas. J'oublie quel pays il vient.

Est-ce que tes filles tombent amoureuses et te demandent quoi faire ?

Ouais. Il y a des filles comme ça. Moi je sais c'est pas amour. Mais elle regarde le farang, beau gars. Parle. Rigole. Pas amour. Parce que si elle aime, farang se marie tout de suite avec elle. L'année dernière, sept filles se marient. Bientôt, peut-être quatre autres se marient. Elles aiment l'avoir. Une fille, elle l'aime bien. Mais pas amour. Il veut l'emmener au Brésil. Elle parle avec moi comment faire ? Je dis: «d'accord, d'accord. Vas-y d'abord.» Parce que bien pour elle. Elle peut aller en dehors Thaïlande. Elle peut apprendre quelque chose sur les gens. Je lui dis«c'est pas sûr si le type est bien ou pas. Ici, il vient et parle bien. Il donne l'argent et paie tout sans problème.» Mais peut-être il emmène la fille et peut-être la fille travaille pour lui ? Donc je lui dis: «tu dois faire attention passeport. Tu dois garder passeport. Ne lui donne pas. Parce que si tu as problème, tu peux pas revenir en Thaïlande.» Une fille sait pas, mais je dis quoi faire. Si le type prend passeport, elle peut pas rentrer. Et si elle a problème. Où aller ? Ambassade Thaïlande. Ambassade la ramène Thaïlande.

Penses-tu que c'est une bonne chose pour une fille de bars d'épouser un étranger puis de quitter la Thaï lande ?

Oui, c'est bien. Si elle pas famille. Pas petit ami Thaï landais. Bien pour elle.

Pourquoi ne veux-tu pas aller avec un étranger ?

Je sais pas. Mais je pense j'ai assez mon argent. Je veux pas donner mon corps à un farang pour de l'argent. J'aime pas.

Épilogue

par Mme Pisamai Tantrakul

Propriétaire d'un petit cours de dactylographie, madame Pisamai a aussi traduit des milliers de lettres pour les filles de bars de Patpong, du thaï à l'anglais si elles écrivent à leur petit ami et de l'anglais au Thaï si elles ont reçu une lettre. Elle a acquis au travers de son travail une compréhension unique de leurs relations.

Depuis quatre ans, je traduis ces lettres ? J'ai commencé par ouvrir un cours de dactylo. Au bout de six mois, il y avait une fille. Elle était venue apprendre la dactylo. Elle me demande: «tu peux traduire cette lettre pour moi ?» C'est une fille de bars. Je connais un peu l'anglais. Alors je dis: «je peux faire ça pour toi.» Au début, je ne fais pas payer la traduction. Mais cette fille en a parlé à ses amies. Plein de filles de Patpong. Aujourd'hui, pour une longue lettre, je demande 100 bahts. Ou 50 bahts par page. Mais certaines sont très pauvres. Ont pas d'argent. Alors je fais pas payer. Je leur lis. Je vois beaucoup de fille de filles bars parce qu'elles vivent par ici. J'ai pitié d'elles. Je rencontre parfois le farang. Et si je trouve le farang est bien, je le dis à la fille. Je dis: «ce type très bien. Si tu l'aimes, essaie.» Je leur fait des suggestions. Je dis: «tu dois essayer. Tu dois changer de vie.» Si elles heureuses, elles reviennent me voir et disent: «merci.» Et m'apportent des lettres.

Mais des Patpong vraiment idiotes. Veulent pas changer de vie. Elles pensent qu'à l'argent. C'est très mauvais. Si la fille et le type, biens, je dois apprendre à la fille: «emmène-le à Chiang-Mai ou vas voir le palais. Amuse-le.»

Si elle doit aller dîner, je lui dis quoi faire quand ils sortent. Comment s'habiller. Doit enseigner. Parce que si vous n'enseignez pas, elles souffrent si elles vont en Amérique ou n'importe où ailleurs. Parce que très différent du style thaïlandais. Si elle fille bien, j'aide pour le visa. J'aide pour le passeport. Ou elle me demande: «qu'est-ce que tu penses de ce type ?» Elle veut une idée. Mais certaines filles sont mauvaises. Elles veulent seulement l'argent.

Si elles veulent que l'argent, elles me diront: «s'il te plaît, essaie de m'aider à écrire cette lettre. Écris n'importe quoi de bien pour moi. Parce que j'ai vraiment besoin d'argent ce mois-ci.» Je leur dis: «à chaque fois que vous voulez dire quelque chose à un type, n'oubliez pas qu'il a un cerveau.» Pour avoir de l'argent, la fille dira: «ma mère malade.» Ou «je dois avorter.» Ou encore: «père et mère malades.»

La plupart des fois. Elles ne peuvent pas prétendre un accident de moto ou une opération parce que quand le type vient, il verra qu'il n'y a pas de cicatrices... Certaines filles mentent. Le type arrive et il y a des problèmes. Quand une fille veut faire semblant d'avoir à subir une opération, je lui dis: «tu n'as aucune cicatrice à lui montrer.» Ensuite, elle change d'avis. Elle dit: «ma mère malade. Mon père malade.»

Environ 30% ou 40% sont heureuses avec leur nouvelle vie et leur mari. Certaines pauvres. Certaines riches. Mais la plupart sont contentes. Ce sont de bonnes filles. Filles bien. Et elles savent comprendre la vie. Environ 50% peuvent se marier et 20% ne sont pas heureuses puis reviennent. Elles me disent: «très difficile de m'y faire et de rester avec lui.» Et il y en a qui se sont battues. Beaucoup me disent, leur mari ne leur donnait pas assez d'argent. Et qu'elles avaient besoin de beaucoup d'argent pour envoyer à leur famille.

La manière dont cela se passe en général, c'est que le mari la soutient à Bangkok. Pendant une ou deux années. Il lui loue une chambre à Bangkok et envoie 10000 ou 20000 bahts chaque mois. Mais pour une fille de Patpong, 20000 bahts par mois, ce n'est pas suffisant. J'ignore pourquoi. Ensuite, ils se marient. Il l'emmène dans son pays. 50% de Patpong se marient. 30% sont heureuses. Sinon, elles font semblant parce qu'elles veulent y aller et quitter Patpong. Elles font donc semblant avec le mari. Mais la plupart des filles que je rencontre veulent épouser un farang. Si elles veulent pas se marier, elle ne contacteront pas par lettres une fois par semaine ou par mois... Si ce n'est que l'argent qu'elles veulent, elles n'écriront que lorsqu'elles ont besoin d'argent.

Pendant les quatre dernières années, il y a eu des mariages heureux. Un Américain, il travaille à l'ambassade. Un autre type qui travaille à l'ambassade du Japon. Aussi le directeur d'une grosse société allemande. Vendeurs. Ingénieurs aussi. Des hommes qui travaillent dans les ordinateurs. Beaucoup, beaucoup de commandants de bord. J'en connais. Je rencontre quand j'aide la fille pour le visa. Propriétaires de restaurant. Un type qui est producteur dans la musique. Un chauffeur de taxi. Certains sont pauvres. D'autres sont des hommes d'affaires.

Je sais tout cela parce que les filles m'appellent. Quand elles partent, elles semblent seules. Ou bien reviennent en vacances. Elles passent me voir. Elles me disent: «j'ai une meilleure vie maintenant. Une belle cuisine. Un meilleur style de vie. Mon mari est parfait pour moi. Il s'occupe de moi. Il m'emmène dîner ou sortir à des fêtes. Je n'ai plus à m'en faire pour l'avenir. Je suis en sécurité.» Si le mari pauvre, elles doivent travailler à la ferme. Mais pas trop difficile. Elles disent qu'elles travaillent et qu'elles peuvent gagner de l'argent. La famille du mari, les parents, sont très gentils avec elles. Si elles ne vont pas travailler, elles disent: «maintenant, je plante des fleurs autour de notre maison. Peux voyager dans le pays et découvrir beaucoup d'endroits.» Par la suite, elles ont des enfants et s'en occupent.

Les mariages sont ratés à cause des styles de vie très différents. Mari très strict avec elle. Mari très radin. Et nourriture différente. Certaines doivent travailler alors qu'elles n'aiment pas travailler. Elles veulent rester à la maison et dépenser l'argent. D'autres finissent par s'ennuyer parce qu'il n'y a pas de Thaïlandaises dans le pays où elles habitent.

Elles sont le plus heureuses en Amérique. Facile à vivre. Australie aussi. Norvège. J'ai six ou sept fille en Norvège. Elles sont très contentes. Hollande. Suisse. Belgique. Les pays où elles sont malheureuses, Japon, Angleterre, parce que les gens ne sont pas amicaux. Regardent de haut les filles de Patpong. Parce qu'elles ont la peau brune. Les filles m'ont dit. Allemands aussi. Ils sont trop sérieux. Ils n'aiment pas parler. Et ils n'aiment pas sourire. Les Français, très égoïstes. Italie, les gens pas amicaux et ils sont très durs quand tu sors. Elle est touchée par un homme. Très dur pour une Thaïlandaise. Les Japonais n'acceptent pas les filles d'un autre pays. Langage est très difficile à apprendre. Anglais est plus facile que japonais. Mais je connais quelques filles elles sont heureuses avec un mari japonais. Parce qu'elles sont la nouvelle génération. Les filles qui me parlent de l'Amérique, elles ont une vie facile. Elles peuvent facilement se faire des amis thaïlandais. Ils peuvent entrer en contact.

Certaines filles me disent: «je veux avoir de l'argent. S'il te plaît, aide-moi à écrire la lettre. «Mais je ne peux pas faire ça. La fille amène parfois le type. Les types ne connaissent pas le comportement des filles de Patpong. Donc, j'explique au type leur stratagème. Comment elles le manipulent. Je leur dis: «si tu l'aimes, tu dois apprendre qu'il y de bonnes et de mauvaises filles. Tu dois être prudent. Parce que tu peux perdre de l'argent pour rien. Et la fille s'envole. Tu dois étudier ta copine.» Je pense que certains n'aiment pas. Veulent fille être épouse pour leur faire le ménage. Ou bien ils sont très seuls.

Très peu d'hommes aiment sincèrement. Pas plus de 20%. Les 80% ont des quantités de raisons. Ils veulent avoir une amie pour la vie. Ils veulent une fille qui reste avec eux dans leur pays. Fille pour s'occuper de la maison. Si amour sincère, le type sait être patient et donne de l'argent. Je pense amour sincère est très idiot. Parce qu'il faut donner tout ce qu'il a. Acheter une maison à Bangkok pour la fille. Acheter une voiture. Et fille peut obtenir tout ce qu'elle veut du mari. Lui idiot.

Mais c'est l'amour sincère. Les autres, ils ont leurs propres raisons. «Tu es bien donc je t'aime.»

Pour la fille, c'est important que tu aies de l'argent. Bon travail. Mais tu dois être gentil avec elle parce que la plupart des filles ont très peu d'éducation. Mais qu'elles pensent elles voient juste. Mais elles voient juste seulement à Patpong. Pas partout ailleurs. Le type doit être patient parce que parfois la fille dit des choses très stupides.

Lorsque j'ai commencé il y a quatre ans. Environ 40 lettres par semaine. 10 lettres dans la journée parfois. Quand le Sida est arrivé, il y a deux ans, moins beaucoup. Peut-être quatre dans la semaine. Tout le monde a peur du Sida. Ils écrivent même à la fille pour lui parler du Sida.

Pour les hommes et les femmes, très difficile de tomber amoureux à Patpong. Mais possible. Quand le type va à Patpong, il voit belle fille. Mais belle fille avec des yeux d'Américains. Pas belle fille avec des yeux de Thaïlandais. Peau brune, peut-être. Il aime coup la peau très brune. Il l'emmène à travers le pays ou à la plage. Ils sont très satisfaits tous les deux. Et puis il envoie de l'argent. Revient aux vacances suivantes. Commence à prendre en charge tous les mois. La plupart commencent comme ça. L'amour est possible mais très rare.

Quand les Thaïlandais pensent à l'amour à Patpong, ils pensent que c'est très stupide. Mais je crois ils ne peuvent pas comprendre la vie des farangs. Parce qu'en Amérique, c'est pas important d'où tu viens. Mais en Thaïlande, quand tu te maries, tu dois vérifier sa famille, son éducation et tout le reste. Dans la société thaïlandaise, les origines sont très importantes. La plupart des Thaïlandais ne comprennent rien aux filles de Patpong ou au style de vie des farangs.

Je pense que 40% des filles de Patpong sont des filles biens. Elles pensent à l'avenir. Elles ont dans l'idée de quitter un jour Patpong. Si elles peuvent. Essaient de saisir une nouvelle chance. Certaines veulent avoir de l'argent pour rentrer au pays ou aller l'école. Une fille bien me parlera de ses origines. Ses idées et son avenir. Elles me font confiance. Je leur enseigne. Mais de mauvaises filles me disent: «je veux leur argent. Je ferais n'importe quoi pour recevoir de l'argent d'un farang.» Certaines ont le coeur brisé. Des filles biens, issues de familles pauvres. A Bangkok, si tu ne finis pas le lycée ou une école de commerce, très difficile de trouver un emploi. Tu dois travailler dans un restaurant comme hôtesse. Ça peut mener à un sale boulot. Elles prennent l'argent pour donner aux parents. La plupart de mes amis pensent que je suis stupide de traduire ou même d'avoir des contacts avec les filles de Patpong. Ils en rient. trouvent que c'est drôle. Très drôle. Mais je leur dis: «pour ces filles, c'est une vraie chance d'avoir une meilleure vie. J'ai pitié d'elles et c'est une chance de les aider. Parce que c'est un problème dans notre pays. Elles n'ont pas reçu une bonne éducation. N'ont pas eu la chance d'aller dans les écoles comme nous. Parce que très pauvres.» Quand je vois les filles de Patpong avant de faire ce travail, je les déteste. Je veux pas leur parler parce que très sales ou manière de vivre étrange. Après avoir commencé ce travail, je peux mieux les comprendre. Pourquoi elles travaillent à Patpong.

Beaucoup de filles à Patpong sont des filles biens. Bonnes à l'intérieur.